EL HABLA POPULAR
DE PUERTO RICO

WASHINGTON LLORENS

EL HABLA POPULAR
DE PUERTO RICO

Preámbulo por Cesáreo Rosa-Nieves
Portada por SUREDA

SEGUNDA EDICION AUMENTADA

EDITORIAL EDIL, INC.
Río Piedras
1 9 8 1

ISBN 84-499-1761-1
Depósito Legal: B. 19.041 - 1981

Printed in Spain

La impresión de esta obra
ha estado al cuidado de
Editorial Edil, Inc.
Norberto Lugo Ramírez, Director

Apartado 23.088
Universidad de Puerto Rico
Río Piedras, Puerto Rico 00931

INDICE

WASHINGTON LLORENS Y SUS APORTACIONES AL ESTUDIO DE LA LEXICOGRAFIA EN PUERTO RICO

En Puerto Rico los autores que se han dedicado con asiduidad científica al estudio del lenguaje hablado (sus orígenes, sus peripecias, sus trayectorias), son los siguientes. En los pasados años recordamos las tareas de: Agustín Stahl, Teófilo Marxuach, Manuel Fernández Juncos, Claudio Capó, Francisco J. Amy, Cayetano Coll y Toste, Justo Barea, Epifanio Fernández Vanga, Juan Augusto y Salvador Perea, y el que más hizo de todos ellos en este campo, el gran Augusto Malaret. Y en los lustros más cerca a nosotros, son destacables los nombres de Rubén del Rosario, Tomás Navarro Tomás, Manuel Alvarez Nazario, Ernesto Juan Fonfrías y doctor Luis Hernández Aquino, Jorge Luis Porras Cruz, Eliezer Narváez Santos, y el autor que nos ocupa, Washington Lloréns.

El estudio de la palabra es el estudio del hombre, por aquello de que dime lo que hablas y te diré quién eres. Por eso dijo Alfonso el Sabio que "ca bien así como el cántaro quebrado se conoce por su sueno, otro sí, el seso de ome, es conocido por la palabra".

* * *

Washington Lloréns se ha dedicado con amor y perseverancia a la investigación de la lengua hablada, y a esa zona del vocabulario de Puerto Rico le ha brindado sus más sabios desvelos. Prueba de ello es el presente libro que consta de los siguientes títulos: "Puertorriqueñismos y Americanismos que faltan en el Diccionario de la Real Academia Española" (18.ª edición), "Observaciones críticas a algunos puertorriqueñismos que figuran en los Diccionarios de la Real Academia" y "Observaciones críticas a algunos americanismos que figuran en los Diccionarios de la Real Academia". He aquí cuatro ensayos investigativos de seria búsqueda analítica en el ámbito de la lingüística puertorriqueña (vocabulario que a la vez es parte de la lengua hispanoamericana, y en el mero fondo, correspondiente a la española).

Washington Lloréns ha cultivado el periodismo y la crítica literaria, con especialidad en el enfoque de obras boricuas. Pero su fuerte es el estudio de la filología, y dentro de esta ancha órbita se ha decidido por el vocablo hablado, en función viva, que es como se puede concebir esa lengua dinámica. Nos ha predicado Charles Bally, que "mirando funcionar la lengua es como se le arrancarán sus secretos. Lo más simple es verla marchar y hacerla servir cada vez mejor a su función que es la de comunicar el pensamiento en todas sus formas".

En reconocimiento a su labor literaria, lingüística y de periodismo, Washington Lloréns ha recibido diversos premios: Primer Premio del Concurso de Cuentos del Festival del Café, por su hermosa narración *Montaña en Flor;* Premio de Periodismo por el Instituto de Literatura Puertorriqueña, 1956; Premio de Periodismo por el Instituto de Literatura Puertorriqueña, 1964; Segundo Premio de Periodismo del Crédito y Ahorro Ponceño, 1967. El autor ha recibido también las siguientes condecoraciones: Comendador de la Orden del Mérito Civil (España), Miembro Titular del Instituto de Cultura Hispánica (España). Es miembro correspondiente de la Real Academia Española, Académico de número de la Academia Puertorriqueña de la Lengua, Académico de número de la Academia de Artes y Ciencias de Puerto Rico y Miembro Correspondiente del Instituto Paraguayo de Investigaciones Históricas (Correspondiente de la Real Academia de la Historia).

Washington Lloréns ha asistido como delegado de la Academia Puertorriqueña de la Lengua, al Segundo Congreso de Academias de la Lengua de Madrid (1956) y a Buenos Aires en misión igual, en 1964.

Con todo este bagaje intelectual, amén de su notable devoción por el estudio de la lengua puertorriqueña, no hay duda que Washington Lloréns es una de las figuras más respetables en esta latitud filológica, por su confiabilidad científica en los apuntes y fichas que recoge del corazón caliente de la palabra hablada.

Este libro titulado *Habla popular de Puerto Rico,* es el fruto de un hombre de gabinete, de tenacidad y de respeto a su respeto de filólogo.

Es de notarse que la mayor parte de las palabras recogidas por el autor han sido ya aceptadas por la Real Academia Española, como podrá ver el lector en el *Boletín de la Comisión Permanente de Academias de la Lengua.*

Prosa dúctil, clara y correcta es la de Washington Lloréns. Sintaxis que se deja leer como agua cristalina que camina hacia el tiempo eterno. Y en sus ensayos de examen enjundioso se nota a primera vista, organización detenida, criterio docente y liberalidad en el comentario acertado.

De par en par abierta está su casa de estudio, y la puerta invita a entrar, como si exclamara en parla boricua: "¡Este es tu hogar, y no acercarse sería un pecado!"

CESÁREO ROSA-NIEVES.

POST SCRIPTUM

La primera edición de esta obra, *El Habla Popular de Puerto Rico,* fue dada a la luz pública por la Academia de Artes y Ciencias de Puerto Rico, en su cuaderno número 111 del año 1968. Hoy—insistiendo—este libro vuelve a encampanar su vuelo hacia el mundo de sus lectores en una segunda jornada publicitaria.

Esta nueva edición aparece corregida y aumentada con los siguientes títulos de interés lexicográficos: *Uso y abuso del gerundio en Puerto Rico, Apuntes sobre el español en Madrid, Bogotá y San Juan, El español de Puerto Rico y la Estafeta Literaria de Madrid, Entendemos any way, Política y Lengua, Don Dámaso Alonso en la Academia de Artes y Ciencias de Puerto Rico y Variantes semánticas de la voz chiquero.* Con todas estas actuales consideraciones sobre nuestro léxico, cumplimos así con un sinnúmero de peticiones, tanto de la isla como del extranjero, en donde nos estimulan para esta publicación. ¡Que cavando hacia el interior de las palabras indígenas, se descubre el alma de un pueblo!

Buena suerte le deseamos a esta segunda edición de *El Habla Popular de Puerto Rico,* que promete tan excelente lctura para los interesados en la suerte de nuestra lengua puertorriqueña.

ROSA-NIEVES.

A 6 de enero de 1970.

PALABRAS DE PUERTO RICO EN EL *BOLETIN DE LA COMISION PERMANENTE DE LA ASOCIACION DE ACADEMIAS DE LA LENGUA ESPAÑOLA*

REAL ACADEMIA ESPAÑOLA, MADRID

COMISION PERMANENTE DE LA ASOCIACION DE ACADEMIAS
DE LA LENGUA ESPAÑOLA

BOLETIN

Núm. 5   Madrid, enero-junio de 1967

3. *Palabras y locuciones propuestas por la Academia Puertorriqueña.*

En el Cuarto Congreso de Academias de la Lengua Española la Academia Puertorriqueña presentó tres ponencias escritas por el señor Académico don Washington Lloréns y tituladas: *Observaciones críticas a algunos puertorriqueñismos que figuran en los diccionarios de la Real Academia Española*, *Observaciones críticas a algunos americanismos que figuran en los diccionarios de la Real Academia Española* y *Puertorriqueñismos y americanismos que faltan en el* Diccionario *de la Real Academia Española*. La Comisión Permanente ha dedicado parte de sus sesiones a estudiar las palabras propuestas en dichas ponencias. Para ello ha contado, durante el año de 1966, con la inapreciable ayuda del señor Académico don Ernesto Juan Fonfrías, representante de la Academia de Puerto Rico en la Comisión Permanente, y después con los no menos valiosos datos y aclaraciones suministrados por el señor Secretario de la Academia Puertorriqueña, don Antonio J. Colorado. La Comisión Permanente ha remitido los puertorriqueñismos estudiados a la Real Academia Española para que ésta los incluya en el *Diccionario* común. Hasta ahora la Real Academia Española ha aceptado las siguientes palabras y locuciones:

acabe. m. *P. Rico.* Fiesta con baile que los recolectores y demás peonaje de las haciendas de café celebran después de terminada la recolección del grano.

anonimato. m. Carácter o condición de anónimo.

aplatanado, da. p. p. de *aplatanarse.* // 2. adj Indolente, inactivo.

aplatanamiento. m. Acción y efecto de aplatanar o aplatanarse.

aplatanar. (De *a²* y *plátano.*) tr. Causar indolencia, restar actividad a alguien. // 2. prnl. Entregarse a la indolencia o inactividad, especialmente por influjo del ambiente o clima tropicales.

arrimado, da. m. y f. ... // 3. *P. Rico.* Persona que, mediante la concesión de un pedazo de tierra donde tiene su casa, siembra en parte para sí y en parte para el dueño de la propiedad.

arruchar. (De *ruche.*) tr. *And.* y *Amér. pelar,* dejar sin dinero.

¡ay bendito! V. *bendito.*

azafate. m. Canastillo o bandeja o fuente con borde de poca altura, tejidos de mimbre o hechos de paja, oro, plata, latón, loza y otras materias.

baba. f. *P. Rico.* Palabrería, dicho insustancial.

bendito. *P. Rico.* Interjección que denota pesar, pena, conmiseración o súplica. // *¡ay, bendito!* *P. Rico.* Exclamación popular que expresa dolor, sorpresa, asombro y otros sentimientos.

blanco. m. *P. Rico.* Formulario impreso con espacios en blanco para llenar a mano o a máquina.

bocabajo. adv. *boca abajo.* // 2. m. *P. Rico.* Persona servil, aduladora, claudicante. // 3. *Cuba* y *P. Rico.* Castigo de azotes que se daba a los esclavos haciéndoles tenderse boca abajo.

buche y pluma. loc. *Ant. Buchipluma.*

buchipluma. (De *buche y pluma.*) m. despect. *Ant.* Dícese de la persona que promete y no cumple, o de quien se las echa de algo sin poder hacerlo. // 2. *Ant.* Dicho o hecho sin valor o sin sustancia.

burundanga. (De *borondanga.*) f. *Col., Cuba, Perú* y *P. Rico. morondanga.* // 2. *P. Rico.* Plato en que entran diferentes hortalizas.

cambimbora. f. *P. Rico.* Abertura u hoyo profundo e irregular en la tierra, por lo general cubierto de vegetación y peligroso para el hombre y el ganado.

ciudadanía. f. Calidad y derecho de ciudadano. // 2. Conjunto de los ciudadanos de un pueblo o nación.

confianzudo, da. adj. Que se toma excesivas confianzas.

controversial. adj. Perteneciente o relativo a la controversia. // 2. Que es o puede ser objeto de controversia. // 3. Polémico, que busca la controversia.

coquí. m. *Cuba* y *P. Rico.* Pequeño batracio de voz aguda y suave.

cucubano. m. *P. Rico.* Cocuyo, luciérnaga.

culillo. m. *Col., Ecuad., Nicar., Pan., P. Rico* y *Sto. Dom.* Miedo. Usase especialmente con los verbos *dar, estar* y *tener.*

chancleta. f. *Amér.* fam. y desp. Mujer, en especial la recién nacida.

chavo. f. fam. *And.* y *P. Rico, ochavo.*

chévere. adj. *Ecuad., P. Rico* y *Venez.* Primoroso, gracioso, bonito. // ... // 4. m. *Cuba* y *P. Rico.* En sentido festivo, elegantón, petimetre, lechuguino.

chota (de *choto*). com. *Cuba* y *P. Rico.* Soplón, delator. // 2. *P. Rico.* Flojo, pusilánime. // 3. *P. Rico.* Chambón, inhábil.

editorialista. com. Escritor encargado de redactar en un periódico los artículos de fondo.

elemento. m. Componente de una agrupación humana: *el elemento conservador, elementos subversivos.* // Individuo valorado positiva o negativamente para una acción conjunta: *Pedro es uno de los mejores elementos con que contamos. ¡Menudo elemento es fulano!*

encandilarse. prnl. *P. Rico.* Enfadarse.

envergadura. Ha entrado en la edición XIX la siguiente acepción: f. fig. Importancia, amplitud, alcance.

fatulo, la. (De *fatula.*) adj. *P. Rico* y *Sto. Dom.* Dícese del gallo que, a pesar de ser grande, no sirve para la pelea. // 2. *P. Rico* y *Sto. Dom.* Falso: *noticia fatula.* // 3. *P. Rico.* Cobarde, necio, tonto.

formato. (Del fr. *format*, it. *formato.*) m. Tamaño de un impreso, expresado en relación con el número de hojas que comprende cada pliego (folio, cuarto, octavo, dieciseisavo), o indicando la longitud y anchura de la plana.

fufú. m. *Col., Cuba* y *P. Rico.* Comida hecha de plátano, ñame o calabaza.

gandul. m. *Col., C. Rica, Cuba* y *P. Rico, guandú.*

guagua [1]. // 3. *Can., Cuba* y *P. Rico.* Nombre vulgar de los ómnibus y camiones que prestan servicios urbanos.

guajana. (Voz indígena). f. *P. Rico.* Espiga florida de la caña de azúcar.

guandú. m. [*Enmienda.*] *Colomb., C. Rica, Hond., Pan.* y *Venez.*

guardarraya. ... // 2. *Cuba* y *P. Rico.* Calle o pasadizo que en el interior de una finca separa los cuadros de cañaverales o cafetales.

guayo [2]. m. *Ant.* Rallador. // ... // 3. *P. Rico.* Borrachera.

invernazo. aum. de *invierno.* // 2. m. *P. Rico* y *Sto. Dom.* Período de lluvias, de julio a septiembre. // 3. *P. Rico.* Período de inactividad en los ingenios de azúcar.

jaiba. ... // 3. m. y f. *P. Rico.* Persona astuta, lista.

jaibería. (De *jaiba.*) f. *P. Rico.* Astucia.

jalda. ... // 2. *P. Rico.* Halda o falda de un monte.

jiguillo. (De *higo.*) m. *P. Rico.* Arbusto de corteza y hojas aromáticas. // *comer jiguillo.* fr. fig. y fam. *pelar la pava.* // *no estar para comer jiguillo.* fr. fig. y fam. No estar para bromas o para fiestas.

jobillo. m. *Ant. jobo.* // *irse de jobillos.* fr. fig. y fam. *P. Rico.* Hacer novillos, comer jobos.

jobo. ... // *comer jobos.* fr. fig. y fam. *P. Rico.* Hacer novillos, irse de jobillos.

juey. m. *P. Rico.* Cangrejo de tierra. // 2. Persona codiciosa, avara. // *hacerse el juey dormido.* fr. fig. y fam. Hacerse el mosquita muerta. // *ser* uno *un juey dormido.* fr. fig. y fam. Ser hipócrita.

jurutungo. m. *P. Rico.* Lugar lejano.

lapachero. m. *And.* y *P. Rico.* Lapachar.

leña. (De *alheña.*) f. *hecho leña,* fr. fig. y fam. *Cuba* y *P. Rico. hecho alheña.*

mabí. m. *P. Rico* y *Sto. Dom.* Cierto árbol pequeño de corteza amarga. // 2. Bebida fermentada hecha con la corteza de este árbol.

macacoa. f. *P. Rico.* Mala suerte.

malpensado, da. adj. Dícese de la persona que en los casos dudosos se inclina generalmente a pensar mal. U. t. c. s.

mancha. ... // *de plátano.* loc. fig. *P. Rico.* Naturaleza o carácter del jíbaro o del puertorriqueño típico: *Tener uno la mancha de plátano.*

manilo, la. adj. *P. Rico.* Dícese de cierta clase de gallos y gallinas grandes y especialmente del gallo grande que no sirve para la pelea.

maromero, ra. m. y f. ... // 2. *Amér.* Político astuto que varía de opinión o partido según las circunstancias. // 3. *Amér.* adj. Versátil.

mascadura. ... // 2. *P. Rico.* Pedazo de tabaco para mascar.

matrimonio. ... // 5. fig. *P. Rico.* Plato que se hace de arroz blanco y habichuelas guisadas.

mime. m. *P. Rico.* Especie de mosquito. // *caerle* a uno *mimes.* fr. fig. fam. Tener mala suerte. // 2. Venir a menos.

místico, ca. ... // 6.*And.* Remirado. // 7. *Cuba* y *P. Rico.* Remilgado.

mixto, ta. ... // 16. f. *P. Rico.* En los bodegones, servicio de un solo plato hecho de arroz, habichuelas y carnes.

mosquero. ... // 3. [*Enmienda.*] *Amér.* Hervidero o gran copia de moscas.

ñangotado, da. p. p. de *ñangotarse.* // 2. adj. *P. Rico.* Servil, adulador. U. t. c. s. // 3. Alicaído, sin ambiciones. U. t. c. s.

ñangotarse prnl. *P. Rico.* Ponerse en cuclillas. // 2. Humillarse, someterse. // 3. Perder el ánimo.

pálpito. (De *palpitar.*) m. Presentimiento, corazonada.

panel. (Del ingl. *panel.*) m. *P. Rico.* Lista de jurados. // 2. Grupo de personas que discuten un asunto en público.

parejero, ra. ... // 5. *P. Rico, Sto. Dom.* y *Venez.* Vanidoso, presumido. U. t. c. s.

pato. ... // 4. fig. *P. Rico* y *Venez.* Hombre afeminado.

pelado, da. ... // 4 bis. Dícese de la persona pobre o sin dinero. U. t. c. s.

pestillo. ... // 3. fig. *P. Rico.* Novio, festejador, cortejante.

pica. ... // 8. *P. Rico.* Ruleta instalada en pabellones o quioscos construidos alrededor de la plaza pública o de la iglesia, para celebrar las fiestas patronales.

politiquero. ... // 2. *Amér.* Dícese del político marrullero e intrigante. U. t. c. s.

pollina. f. *P. Rico.* Flequillo.

pretencioso, sa. (Del fr. *prétentieux.*) adj. Presuntuoso; que pretende ser más de lo que es.

reperpero. m. *P. Rico.* Confusión, desorden, trifulca.

república. ... // 7. fig. irón. Lugar donde reina el desorden por exceso de libertades.

sananería. (De *sanano.*) f. *P. Rico.* Abobamiento.

sanano, na adj. *Cuba* y *P. Rico.* Tonto, corto de entendimiento.

santero, ra. ... // 4 bis. Persona que pinta o esculpe santos, y también la que los vende.

sínsoras. f. pl. *P. Rico.* Lugar lejano.

sucusumucu (a lo). m. adv. *Colomb., Cuba* y *P. Rico.* a la chiticallando.

tusa. ... // 8. *Colomb., Cuba, Pan.* y *P. Rico.* Gente despreciable, gente de poco más o menos.

¡unjú! *P. Rico* y *Venez.* Interjección que expresa duda, incredulidad.

vianda. ... // 2 bis. *Cuba* y *P. Rico.* Frutos y tubérculos comestibles que se sirven guisados, como el ñame, la yautía, la malanga, el plátano, etc.

viejera. f. *Arag., Nav.* y *P. Rico.* Vejez, vejera. // 2. *P. Rico.* Cosa vieja e inservible.

vitral. (Del fr. *vitrail.*) m. Vidriera de colores.

zafacón. m. *P. Rico* y *Sto. Dom.* Recipiente hecho comúnmente de hojadelata, que se usa en las casas para recoger las basuras.

COMISION PERMANENTE DE LA ASOCIACION DE ACADEMIAS
DE LA LENGUA ESPAÑOLA

BOLETIN

Núm. 6   Madrid, julio-diciembre de 1967

Después de entrar en prensa este cuaderno se recibió la entrega número 6 del *Boletín de la Comisión Permanente de la Asociación de la Lengua Española*

3. *Palabras y locuciones propuestas por la Academia Puertorriqueña.*

La Real Academia Española, previo estudio de la Comisión Permanente y de la Comisión de Diccionarios, ha añadido al *Diccionario* común las siguientes expresiones que, de acuerdo con las ponencias presentadas por el señor Académico don Washington Lloréns, propuso la Academia Puertorriqueña en el Cuarto Congreso de Academias de la Lengua Española.

agalludo, da. ... // 3. *P. Rico.* Dícese de la persona egoísta y avarienta.

ajotar. (De *ahotar*.) tr. *León, Sal., Amér. Central* y *P. Rico.* Azuzar, incitar.

anamú. m. [*Enmienda.*] *Cuba, P. Rico* y *Venez.* Planta silvestre de la familia de las fitolacáceas, que...

bachata. f. *Cuba* y *P. Rico.* Juerga, holgorio.

benteveo, m. *Argent.* y *Urug.* Pájaro llamado también bienteveo.

bienteveo. ... // 2. *Argent.* y *Uruguay.* Pájaro de un palmo de longitud, lomo pardo, pecho y cola amarillos y una mancha blanca en la cabeza.

botador, ra. ... // 1 bis. *Amér. Central, Chile, Méj.* y *P. Rico.* Derrochador, manirroto.

botarate. ... // 2. *Cuba, Méj., Perú* y *P. Rico.* Persona derrochadora, manirrota. U. t. c. adj.

cabeciduro, ra. [Suprimen las indicaciones geográficas.]

cabuya. ... // *dar cabuya.* [*Enmienda.*] *Amér. Merid., Cuba* y *P. Rico.* ... // 2. fig. *P. Rico. dar cuerda* a uno.

calambreña. f. *Cuba* y *P. Rico.* Arbol silvestre que se cría en los terrenos pobres y cuya madera sólo se emplea para quemar.

calce. ... // 5. [*Enmienda.*] *Guat., Méj.* y *P. Rico.*

canillera. ... // 2. *Col., Ecuad., Pan., P. Rico, Sto. Dom.* y *Venez.* Temblor de piernas, por miedo o por otra causa.

capuchino. ... // 4 bis. m. *P. Rico.* Cometa más pequeña que la chiringa, de papel y sin varillas.

carato² ... // 2. *P. Rico.* Bebida refrescante hecha con el jugo de la guanábana y aderezada con azúcar blanco y agua.

cocolia. ... // 2. *P. Rico.* Cangrejo de mar.

cucubano. m. *P. Rico. cocuyo.*

cundiamor. ... [Añádese *P. Rico.*]

changa. ... // 4. *P. Rico. Germ.* Colilla del cigarrillo de marihuana.

chango, ga, adj. ... // 2. *P. Rico.* Bromista, guasón. U. t. c. s. // 3. m. y f. *P Rico.* Persona de modales afectados.

changuear. intr. *P. Rico.* Bromear.

cheche. m. *P. Rico.* Jefe, director. // 2. *P. Rico.* Persona inteligente.

chiringo. ... // 2. *P. Rico.* Caballo pequeño.

chongo. ... // 4. *P. Rico* y *Sto. Dom.* Caballo malo, ordinario.

chupaflor. [*Adición.*] ... *P. Rico.* ...

dajao. [*Enmienda.*] (Del taino *dahao*) m. *Ant.* Pez de río...

despalillar. tr. *P. Rico.* Matar a una persona.

dita² f. *P. Rico.* Vasija hecha de la segunda corteza del coco o de la corteza de higüero.

eleccionario, ria. (De *elección.*) adj. *Amér.* Perteneciente o relativo a la elección o elecciones.

elefante. ... // *blanco.* [*Adición.*] *Méj.* y *P. Rico.*

empañetar. ... // 2. [*Adición.*] ... y *P. Rico.*

empella [2]. [*Adición.*] *Perú, P. Rico, Sto. Dom.* y *Venez.* ...

empercudir. tr. *Cuba, Guat.* y *P. Rico.* Percudir. Se dice especialmente de la ropa mal lavada.

empipada. (De *empiparse.*) f. *Chile, Ecuad.* y *P. Rico.* Atracón, hartazgo.

empiparse. (De *en-* y *pipa* [1].) prnl. *Chile, Ecuad.* y *P. Rico.* Apiparse, ahitarse.

enchivarse. [*Adición.*] *P. Rico.* ...

endrogarse. [*Nueva acep. 1.ª*] *P. Rico.* Drogarse, usar estupefacientes. // 2. [*La actual acep. 1.ª*]

enfunchar. tr. *Cuba* y *P. Rico.* Enojar, enfadar. U. t. c. prnl.

fajar. ... // 3. [*Enmienda.*] Pegar a uno, golpearle. U. t. c. prnl. // 4. [*Enmienda.*] *P. Rico.* Pedir dinero prestado. // 5. *P. Rico.* prnl. Trabajar, dedicarse intensamente a un trabajo.

fajazo. (De *fajar.*) m. *Ant.* Embestida, acometida. // 2. *P. Rico.* Petición de dinero, sablazo: DAR UN FAJAZO *a uno.*

festinar. [*Enmienda.*] ant. en España. U. en *Amér.*

follisca. [*Añadir.*] *Amér. Central, Pan., P. Rico* y *Sto. Dom.*

fotuto. ... // 2. *P. Rico* y *Sto. Dom.* Pito cónico de cartón con embocadura de madera.

fungir. (Del lat. *fungi.*) ... // 2. *Cuba, Méj.* y *P. Rico.* Dárselas, echárselas de algo: FUNGIR *de alcalde, de rico, de intelectual.*

gallito. [*Enmienda a la 1.ª acepción.*] Hombre presuntuoso o jactancioso.

gallo. ... // 6 bis. Hombre que trata de imponerse a los demás por su agresividad o jactancia.

gambado, da. (De *gamba* [1].) adj. *Ant.* Patizambo, que tiene las piernas torcidas.

gofio. ... // 3. *P. Rico.* Plato de comida que se hace con harina muy fina de maíz tostado y azúcar.

guabina. ... // *más resbaloso que una* GUABINA fr. fam. *P. Rico.* Dícese de la persona desconfiada, lista, que sale airosamente de cualquier empresa. // 2. Aplícase también al hombre que rehúye el matrimonio.

guachinango, ga. ... // 1 ter. *P. Rico.* Burlón.

guandú. [*Añadir.*] *P. Rico.*

guano [2]. ... // 3. *P. Rico.* Materia algodonosa de la baya del árbol o palma del guano, que se utiliza para rellenar almohadas y colchones.

guaraguao. ... // 2. *P. Rico.* Nombre de varias plantas.

higuillo. (d. de *higo*). m. *P. Rico* y *Sto. Dom. jiguillo.*

insultada. f. *Amér. Central, Col., Chile (Chiloé), Ecuad., Méj., Perú* y *P. Rico.* Insulto, serie de insultos.

interinato. m. *Arg. Interinidad,* tiempo que dura el desempeño interino de un cargo. // 2. *Arg., Chile, Guat., Hond.* y *P. Rico.* Cargo o empleo interino.

jaiba. [*Enmienda a las dos acepciones primeras.*] f. *Amér.* (Con excepción del Río de la Plata.) Nombre que se da a muchos crustáceos decápodos branquiuros, cangrejos de río y cangrejos de mar. // 2..adj. *Ant.* y *Méj.* Se dice de la persona lista, astuta, marrullera.

jaibería. f. *P. Rico.* Astucia, marrullería.

jiguillo. [*Enmienda.*] (De *higuillo.*) m. *P. Rico.* Arbusto de la familia de las piperáceas, de corteza y hojas aromáticas.

julepe. ... // 4 bis. *P. Rico.* Lío o desorden.

julepear. ... // 4. tr. *P. Rico.* Embromar.

lama. ... // 6. [*Adición.*] *Méj.* y *P. Rico.*

mabí. [*Enmienda.*] m. *P. Rico* y *Sto. Dom.* Arbol pequeño de la familia de las ramnáceas, de corteza amarga.

macanudo, da. adj. [*Enmienda.*] fam. *Amér.* Bueno, magnífico, extraordinario, excelente, en sentido material y moral.

machota [2]. ... // 2. *P. Rico.* Mujer garrida y lozana.

PUERTORRIQUEÑISMOS Y AMERICANISMOS QUE FALTAN EN EL DICCIONARIO DE LA REAL ACADEMIA ESPAÑOLA

(18.ª edición)

OBSERVACIONES CRITICAS A ALGUNOS PUERTORRIQUEÑISMOS QUE
FIGURAN EN LOS DICCIONARIOS DE LA REAL ACADEMIA ESPAÑOLA
DICCIONARIO GENERAL (18.ª edición)
DICCIONARIO MANUAL (1950)

OBSERVACIONES CRITICAS A ALGUNOS AMERICANISMOS QUE
FIGURAN EN LOS DICCIONARIOS DE LA
REAL ACADEMIA ESPAÑOLA

PUERTORRIQUEÑISMOS Y AMERICANISMOS QUE FALTAN EN EL DICCIONARIO DE LA REAL ACADEMIA ESPAÑOLA

(18.ª edición)

Ponente: Academia Puertorriqueña
(Washington Lloréns)

acabe. m. En Puerto Rico, fiesta campestre que celebran los trabajadores de las haciendas de café, cuando termina la cosecha del año. (Santamaría.)

"Acabe. 'finalización' ha venido a indicar 'fiesta, baile' con que los recolectadores de café cierran su temporada (PR)." (Charles E. Kanny.)

anonimato. m. Del francés *anonymat* n. m. Etat de ce qui est anonyme. (Petit Larousse.)

Este neologismo ya fue rechazado por la Academia. Aunque no es eufónimo, pide admisión autorizado por buenos escritores.

"que me hacía vivir incrustado en el anonimato". (Emilio S. Belaval, *La muerte,* BAP, 1953.)

"El autor, que prefiere seguir en el anonimato." *(Universidad,* vol. 5, núm. 64.)

"... y librarse del anonimato en que viven...". (José A. Balseiro, *Novelistas españoles modernos.)*

"Hemos recibido varios poemas en verso y prosa firmados con seudónimo. *Universidad* publicará siempre trabajos anónimos, porque el anonimato puede ser una virtud; pero nunca con seudónimo, porque la seudonimia es siempre una farsa. ¿No es verdad, José Martínez Ruiz, Eugenio d'Ors, digo Azorín, digo Xenius...? (J. R. J., *Universidad,* vol. 5, núm. 67.)

"... que ha entrado en el anonimato del pueblo". (Alfonso Reyes, *La experiencia literaria.)*

"El autobiografismo del Lazarillo es solidario de su anonimato." (Américo Castro, *Hacia Cervantes,* Taurus, 1957, página 109.)

"Es de uso frecuente, sobre todo en el habla de las finanzas y en el de las crónicas policíacas." *(Boletín de la Academia Colombiana,* tomo XIV, 1964, núm. 53, pág. 198.)

"Yo ruego a quien lo escribió que abandone su anonimato y me permita consultarle." (José Ortega y Gasset, *Meditación de un pueblo joven.)*

aplatanado, da. adj. Acriollado.

"¿Acaso puede haber ley que autorice la ignominia de que una menguada junta aplatanada quiera entremeterse en lo que hizo o dejó de hacer uno de esos seres infalibles que por humanidad consienten en venirse a mostrar entre nosotros?" (Nemesio R. Canales, *Paliques,* Editorial Phi Eta Mu, 1952, página 96.)

aplatanarse. prnl. Acriollarse. "Si aplatanarse significa ponerse en armonía con el trópico americano lo suficiente para sentirse en paz con la geografía y los nativos usos, entrando en fácil pacto con el medio, sin abdicar creencias ni normas, sin que flaqueen las bases y puntales del genio o el carácter, don Pedro se aplatanó muy llanamente; pues aquí llegó a sentirse... en su propia casa. Pero vivió ileso de la 'mancha del plátano', si es que ésta alude al relajamiento, a la inercia, abulia y lasitud que demasiadas veces se le achacan al clima." (Tomás Blanco, *Asomante.)*

La mancha del plátano no es "la inercia, abulia y lasitud", sino la marca del jíbaro, o como dice Kany: "platanero, 'puertorriqueño típico', usado irónicamente: tener la mancha del plátano, 'ser natural de Puerto Rico'."

La voz *platanero,* como la define Kany, es muy poco usada en Puerto Rico.

> *Mata de plátano, a ti,*
> *a ti le debo la mancha*
> *que ni el jabón ni la plancha*
> *quitan de encima de mí.*

Desque jíbaro nací,
al aire llevo el tesoro
de tu racimo de oro
y tu hoja verde y ancha,
llevaré siempre la mancha
per sécula, seculorum.

Luis Lloréns Torres.

arrimado, da. adj. De arrimar: acogerse a la protección de uno. U. t. c. s.

"Vino por arrimá y quiere salil pol dueña." (Ernesto Juan Fonfrías, *Conversao en el batey*, 1956, pág. 158.)

arruchar. tr. Dejar al contrario sin dinero en el juego

Malaret no registra esta voz en el *Vocabulario de Puerto Rico*, 1955. Figura en su *Diccionario de americanismos*, 1946, como cubanismo.

¡ay bendito! Exclamación peculiar de Puerto Rico que denota pena, conmiseración, súplica.

"Puerto Rico es la tierra del ¡ay bendito!"

azafate. m. Bandeja. T. en Andalucía.

baba. f. Palabrería.

¡bendito! interj. que denota pena, conmiseración, súplica.

blanco. m. Esqueleto (Costa Rica, Guat. y Méj. Patrón impreso en que se dejan blancos que se rellenan a mano, dice la Academia). (Formulario.) Muchas veces se rellenan o se llenan, como se dice en Puerto Rico, a máquina.

"Dos días después recibía unos blancos para que los llenara." (Pedro Juan Labarthe, *Pueblo, gólgota del espíritu*, 1938.)

T. forma (PR). "Llenar una forma."

bocabajo. m. Servil, *ñangotado*. V. ñangotado.

Kany sólo registra dos acepciones anticuadas: "bocabajo (Ant.), que originariamente significa 'paliza' a un esclavo en esa postura. ("Dale un bocabajo de ocho azotes", Coll y Toste, en *Malaret*, Vocabulario), y hoy significa 'paliza' de la Policía a cualquier delincuente sin tener en cuenta la postura".

buche y pluma. fr. fig. y fam. Cosa de poco valor y menos peso. Versátil.

"Buche y pluma no más;
eso eres tú."

"Pero por mi parte yo creo que todo eso es buchipluma no más." (Guillermo Cotto-Thorner, *Trópico en Manhattan.*)
En España dicen "poca carne y mucha pluma"

> *Eres como el aguanieve;*
> *garbosita en el andar,*
> *poca carne, mucha pluma*
> *y durita de pelar.*

burundanga. vulg. por morondanga.

> *"bajo la gran burundanga antillana".*
> (Tomás Blanco, *Los vates*, 1949.)

Francisco Rodríguez Marín incluye esta voz en su obra *Un millar de voces castizas y bien autorizadas que piden lugar en nuestro léxico.*
En Andalucía: borondanga.
cambímboras. f. "Son hoyos enormes que hay en algunos sitios de esta jurisdicción. En otras partes les dicen guajonales." (Aníbal Díaz Montero.)
ciudadanía. f. Conjunto de ciudadanos.
"Ciudadanía de Aguadilla emprende campaña para librar la ciudad del letargo económico. (*El Mundo.*)
"Mensaje a la ciudadanía." (Gobierno de Puerto Rico.)
Debe admitirse esta acepción neológica que se usa mucho en América. El sufijo ía a veces es colectivo, como en gañanía (conjunto de gañanes), morería (conjunto de moros).
confianzudo, da. adj. De uso general en América para significar el que abusa de la confianza que se le otorga (Julián Motta Salas).
Venezuela: entrometido (Santamaría).
Malaret no registra esta voz en el *Vocabulario de Puerto Rico*, 1955, pero figura en su *Diccionario de Provincialismos de Puerto Rico*, 1917.
coquí. m. Eleutherodactylus portoricensis. Anfibio (?) de la familia de los sapos y las ranas, pero de género zoológico diferente.
Academia: Coquí (Cuba), insecto de lugares pantanosos que produce un monótono y continuo chirrido.
Pero la voz coquí no figura en el *Léxico mayor de Cuba* (Rodríguez Herrera, 1958).

Hay otro coquí que tampoco es insecto, el Eleutherodactylus antillensis, que no dice co-quí, co-quí, sino ki ki ki ki, o kri-i.

Según *Vox*, Santamaría y Malaret, el coquí es un reptil. "Cuba y Puerto Rico. Reptil pequeño que grita: ¡coquí! ¡coquí! (Xylodes martinicensis)" *(Vox)*.

Pero Tomás Blanco lo clasifica correctamente: "El coquí, dicen ellos (los naturalistas) es un minúsculo animalejo, clasificado—quizá un poco arbitrariamente, digo yo, por lo que después se verá—entre los anfibios de la familia de los sapos y las ranas, pero de género zoológico diferente. El nombre y apellido científico de su especie es Eleutherodactylus portoricensis; que traducido literalmente al cristiano quiere decir 'el puertorriqueño de los dedos libres'.

"Pero no se tome a mala parte eso de la libertad digital; debe aclararse que así se llama por no ser palmípedo como una rana cualquiera, por no tener ni residuo de membrana natatoria entre los dedos de los pies ni de las manos. Por tanto, no está preparado para vivir en el agua. En compensación, tiene una especie de disco adherente en la punta de cada uno de sus dedos... Por eso pienso yo que hay bastante arbitrariedad en clasificarlo como anfibio, pues ni siquiera en su infancia o niñez fue renacuajo acuático." (Tomás Blanco, *Prensa Literaria*, pág. 31, año 2, núm. 2.)

cucubano. m. Cucuyo. Cocuyo. Luciérnaga.

"Cucuyo, Cocuyo o Cucuio. Coleóptero pirófero, el cucubano. La palabra significa estrella de la tarde, en lengua de los Cumanagotes." (Dr. Agustín Stahl, *Prensa Literaria*, página 37, año 2, núms. 4-5.)

"Al gusano de luz de tamaño mayor, que brilla de ordinario en las ramas de los arbustos, se le conoce uniformemente con la denominación de cucubano... Figura cucubano en la lista de los puertorriqueñismos más característicos..."

"Un vecino de Ciales advertía que los cucubanos se alimentan del rosidu, rocío, de las plantas, y añadía que los chicos de su tiempo metían cucubanos en una botella, con la cual se alusaban como con una candela." (Tomás Navarro, *El español de Puerto Rico*, 1948.)

> *"Saltan del fondo de las inquietudes.*
> *Una farola filial: Dominica.*
> *Un cucubano de amor: Guadalupe.*

Una esmeralda de ensueño: Borinquén."
(Arturo Gómez Costa, *Puerto Rico heroico*, página 69, 1960.)

"Con su errante esmeralda el fugaz cucubano..." (Samuel Lugo).

culillo. m. (T. culilla.) En la fr. fig. y fam. Darle a uno culillo. Acobardarse, achantarse.

chancleta. f. fig. y fam. Niña recién nacida.

"La Doña me salió con una chancleta, pero yo quería un machito."

"chancleta: flojo, cobarde. Es común en España y América aplicar la voz chancleta a la mujer" (Tiscornia).

chévere. m. U. t. c. adj. Primoroso. Bueno. Jefe, Hábil.

"La cosa empezó lenta, dos minutos de finteos, leves tocadas de inversos y pasitos chéveres."
(Rafael Pont Flores, *El deporte en broma y en serio,* 1952.)
chévere (Col. Méj. Ant.), como en "una joven muy chévere, un auto muy chévere, un traje muy chévere..."
(Charles E. Kany, *Semántica hispanoamericana.*)

desinquieto, ta. adj. Vulg. por inquieto.

T. en Andalucía.
"El dinero y el amor
no pueden estar secretos:
el dinero porque suena,
y el amor por desinquieto."
(Citado por Antonio Alcalá Venceslada en *Vocabulario andaluz.*)

editorialista. com. El que escribe editoriales (artículos de fondo no firmados).

"Tiene mucho uso" (Pedro Lira U.).

elemento. m. No se usa siempre por persona de cortos alcances, babieca; ni como en Andalucía, por persona alocada

"Juan es buen elemento." (Una buena persona.)

encandilarse. r. enfadarse.

También como en Andalucía: enamorarse.

envergadura. f. Galicismo por importancia, fuste, prestigio (D. M.).

"... y de la envergadura doctrinal de la Revolución francesa" (Isabel Gutiérrez del Arroyo, *El reformismo ilustrado en Puerto Rico,* 1953).
"... es tarea de gran envergadura" (Luis Muñoz Marín, *El Mundo,* 30 de diciembre de 1953).
"Sin duda el señor del mucho ruido y pocas nueces habría dado media vida por ser autor de un libro de alguna envergadura..." (Luis Alberto Sanchez, *Correo Literario,* Madrid).
"Pero como las tardes eran largas y el niño corto, las visitas se enfrascaban en discusiones políticas de más envergadura" (Alvaro de Laiglesia, *Correo Literario,* año V, Madrid).

fátulo, la. adj. Falso, huero. Cobarde, necio, tonto.

Méj. Cobarde (Santamaría).
Gallo o gallina de tamaño grande, que no sirve para la pelea * (Malaret).
"Ola de cheques fatulos sacude ciudad Ponce" *(El Día).*

formato. m. Forma, tamaño de un libro (D. M.).

"Capítulo VII. El formato" *(La investigación de los estudios literarios,* Universidad de Puerto Rico, 1951).
"Mientras se sostuvo dentro de su formato tradicional" (Emilio S. Belaval, *Artes y Letras,* año I, núm. 2).

fufú. m. Hechizo. Mal de ojo.

Echar un fufú. Echar un brujo. Echar un hechizo.

gandul. m. Guandur. Guandu (Academia).

> T. guardarraya. El gandul o gandur se siembra en
> las guardarrayas.
> "... Para colocarse en un plano de más erguida eru-
> dición, despectivamente dicen que gandures es vo-
> cablo más bien regional y de sabor rústico..."
> "... Pero yo me quedo con tus gandures, jíbaro ami-
> go" (M. Pérez García, *Prensa Literaria,* año 2, nú-
> mero 3).

guagua. f. Autobús.

> "... observo que la guagua que prestaba servicios
> entre las oficinas..." *(Puerto Rico Ilustrado).*
> "PERIODICO. Algo muy útil para no ver a las da-
> mas que van de pie en la guagua" (Tópicos, *El
> Mundo).*

guajana. f. Flor de la caña de azúcar.

> "La flor de la caña, especie de airón que el labrie-
> go de Trujillo describía con admiración ponderativa,
> es llamada invariablemente guajana, nombre sólo
> registrado hasta ahora en el vocabulario puertorri-
> queño" (Tomás Navarro, *El español en Puerto Rico.*)
> "Voz antillana. En Puerto Rico, la varilla de la ca-
> ña, que sirve para hacer volantines y jaulas" (Fran-
> cisco J. Santamaría, *Diccionario general de ameri-
> canismos).*
> Quizá con menos exactitud, pero con cierta gracia,
> dice Kany: "caña de azúcar con sus barbas".
>
> *Tienes la caña en la feraz sabana*
> *Lago de Miel que con la brisa ondea.*
> *Mientras su espuma, la gentil guajana*
> *Como blanco plumón se balancea.*
> José Gautier Benítez (1850-1880).
>
> "Sólo subía hasta la montaña el sordo rumor de las

guajanas al viento" (José Luis onzález, *En la sombra*).

"Hoy estoy aguajanao."

El español no tiene una voz equivalente. Debe admitirse como puertorriqueñismo.

guayo. m. v. ind. ant. rallo, rallador.

Este triunfo del sustrato indígena se debe quizá a la confusión que a veces causa nuestro yeísmo: rallo se pronuncia rayo.

"El rigor de aquella pesada regla ni de aquel guayo que hacía saltar la sangre, en las rodillas" (Carlos Orama Padilla, *Virgilio Dávila*).

"Manipulaba (el borinqueño) la yuca, rallándola en el guayo (el rallo), y exprimiéndola en el cibucán (especie de talego), para separar la catibía (sustancia harinosa) de la naiboa (el jugo venenoso)

"También usaba esta palmera (canapalma real) para la fabricación del guayo, utensilio doméstico que le era muy necesario" (Cayetano Coll y Toste, Hallazgo indígena, en *Escritos sobre Puerto Rico*, de José González Font, 1903).

Como yuca para mi guayo. fr. fig. y fam.

Como peras en tabeque. Guayo vale también borrachera (Malaret).

"Más guayado que un guayo."

"Después de coger un soberano guayo."

invernazo. m. Período de inactividad en los ingenios de azúcar.

(Antes trapiches meladeros, hoy centrales azucareras o centrales a secas.)

Terminación de la zafra. Tiempo muerto.

"se había reclinado para dormitar durante el invernazo" (Rafael Gatell, *Flor de cafeto*, 1936).

jalda. f. Halda o falda de un monte.

"JALDA ARRIBA es el lema del Partido Popular"

"hacer viable este anhelo de escalar la ruta ascendente, en jíbaro—jalda arriba" (Juana Rodríguez Mundo, *Presente,* diciembre de 1952).

"Finalmente, habremos de llegar a ser bilingües. Vamos a decidir a no ser semilingües en dos idiomas. El idioma es la respiración del espíritu. No hagamos asmática esa respiración. Con asma no se puede repechar jalda arriba" (Luis Muñoz Marín).

"Mirándola desde el aire se ve su pequeño cuerpo de 3.500 millas cuadradas de suelo en montañas que van bajando a montes, en montes que van bajando a colinas, en colinas que van bajando en jaldas" (Inés M. de Muñoz Marín, *Almanaque Asenjo,* 1953).

Jalda es puertorriqueñismo, según Martín Alonso (*Enciclopedia del idioma,* Madrid, 1958).

En España dicen con gracioso orgullo: el que no diga jacha, jambre, jorno, jigo, jiguera, no es de mi tierra; y en Puerto Rico decimos: los que dicen jalda, jicotea, jincho, jumazo, jurutungo, ésos sí, son de aquí.

jaiba. m. Cangrejo de río (Academia). PR. Astuto, listo.

"un poco desconfiado y con su puntita de jaiba" (Abelardo Díaz Alfaro, *Presente,* núm. 1, vol. 1).
jaiba. 'cangrejo' (Méj. Ant.). por la forma en que este crustáceo se apodera de las almejas (introduciéndolas arena para que no se cierren) (Kany).

jaibería. f. Astucia.

"conservamos el orgullo, la vieja actitud señorial del español minada por la jaibería" (Rubén del Rosario, *Problemas de lectura y lengua en Puerto Rico).*

jiguillo. m. Arbusto de corteza y hojas aromáticas (Malaret).

Comer jiguillo. fr. fig. y fam. Pelar la pava.
No estar para comer jiguillo. No estar para bromas. No estar para fiestas.

jovillos. m. En la fr. *irse de jovillos.* Hacer novillos. Irse de montiña. Hacer bruscas (Ponce). Comer jobos (San Juan).

"Como irse de montiña usan decir los chicos de España, cuando faltan a la escuela por el placer de vagar fugitivos o entregarse a juegos y travesuras en las horas de clase, irse de jovillos decíamos en Aguadilla los muchachos de la escuela" (José de Diego, *Jovillos*).

"una desmedida afición a comer jobos" (Malén Rojas Daporta, *Puerto Rico Ilustrado,* 4 de octubre de 1952).

"Cuando se enteró mi abuela de que yo me iba a comer jobos con algunos de los peores pilletes del barrio, su alarma fue enorme" (José Padin, *Una escuelita de antaño*).

juey. m. Cangrejo de tierra.

"que anda con todo y cobija
como juey con carapacho."
(El Caribe, *Escritos sobre Puerto Rico,* González Font, 1903.)

Hacerse el juey dormío. fr. fig. y fam. Hacerse el mosquita muerta. Hacerse el chancho rengo (Argentina).

jurutungo. m. vulg. Lugar lejano. T. sínsoras.
lapachero. m. Lapachar.

T. en Andalucía.

leña (estar hecho). fr. fig. y fam. Estar hecho polvo.

"Juan está hecho leña, no puede trabajar."
Cervantes usa con frecuencia la frase: estar hecho alheña.
"embio al loco hecho una alheña."
"Para no quedar molidos los cascos y hechos alheña los huesos."

macacoa. f. Mala suerte. And. Macancoa.

Murria (Malaret).

En Venezuela, murria, tristeza (D. M.). Caerle a uno la macacoa. Caerle a uno "la de mala".

mabí. m. Bebida fermentada de la corteza del árbol de mabí.

(Culebrina reclinata). T. en Santo Domingo y Haití. Voz caribe, según Santamaría. Alvarez Nazario opina que es de origen africano.

malpensado, da. adj. Que piensa mal.

T. en Andalucía.

manilo, la. adj. Gallo grande que no sirve para la pelea. Gallina grande.

> *El gallo manilo*
> *aletea y cocoroquea muchísimo,*
> *pero no dice nada,*
> *como la mayor parte de nuestros*
> *treinta o cuarenta mil oradores políticos*
> *no hay quien lo haga pelear.*
> *De mañana, cuando a comer lo llaman,*
> *tumba latas, tiestos, zafacones,*
> *líos de ropa, escobas*
> *y cuanto estorba su avance,*
> *pero no hay quien lo haga pelear.*

Luis Loréns Torres.

maromero. m. y f. Volatinero, acróbata. Versátil. Político astuto que baila al son que le tocan. U. t. c. adj.

La voz maromero (acróbata, volatinero) se usaba en Puerto Rico en 1812, según el siguiente pasaje citado por Emilio J. Pasarell en *Conjunto literario*, 1963:

"Y en enero de 1812, 'unos maromeros' piden permiso al Cabildo de San Juan para hacer diversiones en el corral donde se están haciendo las comedias."

mascaúra. f. Mascadura. En Puerto Rico, el pedazo de tabaco para mascar.

"... y en rictus de desprecio escupe chorreando la mascaúra" (Abelardo Díaz Alfaro, *Terrazo*, 1947). Argentina: "mascada: provecho. En sentido recto esta voz significa 'porción de tabaco negro que se masca' y está en Ascasubi, Vega, v. 1518. Hernández la toma en sentido figurado" (Notas. Martín Fierro. Eleuterio F. Tiscornia, Buenos Aires, 1949).

matrimonio. m. Arroz blanco con habichuelas guisadas.

"nuestro vulgar plato de arroz blanco con habichuelas coloradas (matrimonio, lo llama el vulgo)" (Luis Raúl Esteves, *El mundo*, San Juan, 1952).

mime. m. Especie de mosquito.

"Mira que te van a caer mimes."
(Buscando el tema, *El Mundo*, San Juan, 1952.) Caerle a uno mimes. fr. fig. y fam. Caerle "la de mala". "Caerle la changa." Venir a menos. Caerle a uno la macacoa. V. macacoa.

místico, ca. Remilgado. T. en Colombia y Ecuador, según Malaret.

Se usa en Andalucía por remirado, para poco (Alcalá).

mixta. f. Arroz, habichuelas y carne.

"Si usted vuelve por acá no se le ocurra comerse una mixta" (Buscando el tema, *El Mundo*, San Juan, 1953).

ñangotado, da. adj. Humillado. "Sometido". Sin ambiciones. Alicaído.

U. t. c. s. "El acto de estar sentado en cuclillas"

(Dr. Agustín Stahl, *El lenguaje de los indios borinqueños*).

"paraos o amangotaos" (Dr. Francisco Vassallo y Cabrera, en *Escritos sobre Puerto Rico*, González Font, Barcelona, 1903).

ñangotarse. prnl. Ponerse en cucilllas. Someterse. Humillarse. Perder el ánimo.

pálpito. m. Apócope de palpitación. Presentimiento. Corazonada.

T. en Argentina, Chile, Perú y Uruguay por intuición (Malaret).

"Uno de ellos 'por chiflado y musaraña' sintió el pálpito poético de deshacer entuertos y tuvo el empeño valeroso y creador de dar rumbo social a esa corazonada."

(Jaime Benítez, Prólogo de *Tuntún de pasa y grifería*, Luis Palés Matos, BAP, San Juan, 1950.)

Me eché a andar sobre lágrimas, alumbrado
el cauce inolvidable de mi río
y doquiera me hallaba maravilla
entre alas y pálpitos, yo mismo.

Manuel Joglar Cacho, *La sed del agua.*

panel. m. Lista de jurados. Grupo de personas que discuten un asunto en público.

"14 damas incluidas dos paneles jurado."
"Este es el panel del programa radial desafiando a los expertos." *El Mundo*, San Juan, 1953.

parejero, ra. adj. U. t. c. s. Vanidoso, presumido, altanero, soberbio.

"Sobre todo cuando los veía impresos, crondos y presumidos; parejeros, como decimos aquí."
(Tomás Blanco, *Asomante.*)

pato. m. Afeminado.

Venezuela: marico (Camilo José Cela, Vocabulario de venezolanismos usados en *La catira*, Barcelona, 1955).
Andalucía: pavo, timidez, sosera (Alcalá).

pelado, da. adj. Sin dinero. Desplumado. Como en las frases:

Más pelado que una tusa.
Más pelado que un forro de catre.
Más pelado que un huevo.
En el *Diccionario general* figura la fr. fig. y fam. *bailar uno el pelado.* Estar sin dinero.
Pelar vale desplumar (Academia).

pestillo. m. Novio, Amante.

"—Sí, y voy a gozar. Ya tengo pestillo."
(Enrique Laguerre, *El 30 de febrero.*)

pica. f. Ruletas instaladas ya en rústicos pabellones, ya en quioscos construidos alrededor de la iglesia para celebrar (sin la solemnidad que piden la Iglesia y la Academia) las fiestas patronales.

"Cuando publiqué que mi pueblo había decidido que no habría picas en las fiestas patronales..."
(Enrique Sánchez Cappa, *El Mundo*, San Juan.)

presentado, da. adj. Como en la fr. más presentado que el arroz blanco.

T. en las frases:
Más presentado que un caculo social.
Más presentado que el soco del medio.

pretencioso, sa. adj. Presuntuoso, presumido, jactancioso, engreído, petulante. Del francés *pretentieux*.

"Nuestras clases populares tienen en cambio una vida interior pretenciosa..."

(Rubén del Rosario, *Problemas de lectura en Puerto Rico.*)

"... hubiera parecido *pretencioso*..."

(Ignacio Bauer, Prólogo *Vida del Escudero Marcos de Obregón.*)

Vicente Espinel no era tan *pretencioso:*

"Y no muy poca soberbia, vana y presuntuosa."

"en la que corren parejas
lo pretencioso y absurdo."

(El Caribe.)

"Aunque por distintas razones un poco pretencioso."

(José Ortega y Gasset, *Meditaciones de un pueblo joven.*)

"las pretenciosas universidades..."

(José Ortega y Gasset, *Misión de la Universidad.*)

república. f. Confusión, desorden.

"Esta casa es una república."
T. en Andalucía.

sananería. f. Desabridez, abobamiento (Luis Palés Matos).

*Las castas once mil vírgenes
traen a los niños nonatos.
Las altas cancillerías,
despliegan sus diplomáticos,
y se ven en el desfile,
con eximio goce extático
y clueca sananería
de capones gallipavos.*

(Luis Palés Matos, *Tuntún de pasa y grifería.*)

sanano, na. adj. Tonto, corto de entendimiento.

santero, ra. adj. Dícese de la persona que tiene por oficio hacer santos. U. t. c. s.

T. en Méjico (Santamaría).
Andalucía: individuo que lleva las imágenes en las procesiones.
Academia: Persona que pide limosna, llevando de casa en casa la imagen de un santo.

Tiene, pues, más propiedad, la acepción puertorriqueña y mejicana

sucusumucu (a lo). m. adv. Taimadamente. Ocultamente, con cautela.

> Academia: a lo sumorgujo.
> Quevedo en *Cuento de Cuentos:* A somormujo.

tusa. f. Mazorca de maíz sin el grano (Acad.). PR. fig. y fam. persona de poco más o menos. De orillita. De segunda. Persona despreciable

¡unjú! interj. que expresa duda, incredulidad.

> "Y el jíbaro dijo Njú."
>
> Luis Lloréns Torres.

> "La interjección—unjú—tiene dos sentidos diferentes, uno de conformidad con lo dicho por otro, equivalente a 'está bien' y otro de inquietud ante algo perjudicial, inesperado, y que tiene el mismo valor de 'vean qué cosa'.
> (Emilio Jiménez, *Del lenguaje dominicano.)*

vianda. f. Tubérculos comestibles como el ñame, la yautía, la malanga.

viejera. f. Viejo, antiguo.

> Venezuela: vejez (Camilo José Cela).

vitral. m. del francés *vitraux.* Vidriera.

> "Vitrales de capilla" (Carlos N. Carreras).
> "A la luz que llega del fondo de la finca como a través de vitrales discretos" (Miguel Meléndez Muñoz, *Cuentos del cedro).*
> Colombia: "Vidriera artística". De uso corriente, sobre todo, en plural: los vitrales, aunque se emplea más el término francés vitraux.
> (*Boletín de la Academia Colombiana,* tomo XIV, 1964, núm. 53.)

zafacón. m. Latón. Cubo de la basura.

Malaret dice que este neologismo, muy usado en Puerto Rico, viene del inglés *safety can,* pero Tomás Blanco no está de acuerdo. Y nos da sus razones en inglés, con no poca socarronería: "Think twice, friend Agapito *, before you tell me that zafacón comes from the dubious english word safety-can; deriving false conclusions and vain confort from hypothetical etymologies."

Zafacón es puertorriqueñismo muy frecuentado.

ZAFACON en *El Mundo,* San Juan:

"ESCRITORIO.—Un zafacón con gravetas" *(Tópicos,* 1964).

APENDICE

controversial. adj. Controvertible, polémico, contencioso.

"Me sospecho que el tema de hoy con un leve empujón se podría volver controversial."

(Doctor Facundo Bueso, *Escuela,* 12 de enero de 1953.)

"... allí el mejicano José Vasconcelos, seguramente la figura más controversial del congreso..."

(Ciro Alegría, *El Mundo,* San Juan, 1953.)

"... que por lo reciente, controversial y difícil de acceso no es frecuente encontrar en conjunto dentro de las historias literarias."

(S. Serrano Poncela, *La Torre,* Universidad de Puerto Rico, año 1, núm. 2.)

chavo. m. (ochavo) Moneda de un centavo (PR).

"Un chavo prieto."

U. t. en Andalucía.

chota. m. y f. Germ. Soplón.

mosquero. m. Hervidero de moscas. T. en Colombia, Cuba, Chile, Perú y Venezuela (Malaret).

---

* Agapito's bar. Cafetín descubierto por el Gobernador don Luis Muñoz Marín en la región montañosa de Puerto Rico, donde todavía los jíbaros dicen truje, naiden, etc.

"Si no te cuidas, te van a encontrar por el mosquero" (Después de muerto).

politiquero, ra. adj. Político marrullero.

"Hay necesidad de admitir este vocablo que indica las actividades de la política baja a que se dedican ciertos politicastros que hacen su agosto con todo lo que lleva en sí la palabra, despreciable para las gentes de bien, que se llama politiquería" (Julián Motta Salas).

pollina. f. Flequillo.

La voz flequillo no se usa en Puerto Rico.
Cuba: cerquillo.
Malaret no registra la acepción puertorriqueña en sus Diccionarios más conocidos.
"... ¿quién sería el que bautizó con el nombre de pollina el mechón de pelo tirado sobre la frente? (Tópicos, *El Mundo*.)

récord. m. (¿récor?) Marca. Registro, archivo, historia.
"Y, con ese récord, que lo invitaba a otras orientaciones." (Dr. Manuel Quevedo Báez, *Orden Público*, año XVII, núm. 122.)
"O'Brien rompió el récord mundial de bala. Paz, 17 de junio." Citado por Félix Restrepo, S. J., en *El castellano naciente*, Bogotá, 1956.)
El *Diccionario Manual* registra las siguientes acepciones de récord: Anglicismo por prueba fehaciente de una hazaña deportiva digna de registrarse. (Hasta aquí con asterisco.) Esta misma hazaña (con corchete).

reperpero. m. Confusión, desorden, trifulca.

"El propósito es evitar el reperpero que se formará en Mayaguez tan pronto se sepa que el senador... renunciará para aceptar el nuevo cargo" (Pedro de Acarón, *El Mundo*, San Juan, octubre de 1964). T. en Santo Domingo (Malaret).
"En Puerto Rico, revolú" (Santamaría).

COMISIÓN IV

OBSERVACIONES CRITICAS A ALGUNOS PUERTORRIQUEÑISMOS QUE FIGURAN EN LOS DICCIONARIOS DE LA REAL ACADEMIA ESPAÑOLA

Ponente: D. Washington Lloréns
(Academia Puertorriqueña)

DICCIONARIO GENERAL (18.ª edición)
DICCIONARIO MANUAL (1950)

Agalludo, da. adj. fam. Argent., Chile y P. Rico. Dícese de la persona animosa y resuelta. 2. Chile. Ambicioso, avariento. P. Rico. Dícese de la persona egoísta y avarienta.
Argentina y Cuba. Poco escrupuloso, desvergonzado (Malaret).
En Chile también se aplica a los niños de inteligencia viva y precoz (Santamaría).
Botador, ra. adj. (D. M.) Amér. Central, Chile y P. Rico. Mal usado por derrochador, manirroto.
En P. Rico se usa con más frecuencia el vocablo botarate.
Carato. m. P. Rico y Venez. Bebida refrescante hecha con arroz o maíz molido o con el jugo de la piña y de la guanábana y aderezado con azúcar blanco o papelón y agua.
P. Rico: Bebida refrescante hecha con el jugo de la guanábana y aderezado con azúcar blanco y agua.

Cerrero, ra adj. (D. M.) fig. Argent., Perú y P. Rico. Tratándose de personas, inculto, brusco. Venez. Dícese de lo que es amargo.

P. Rico: se usa también por bravío, cerril.

"*Isla cerrera,* novela de Manuel Méndez Ballester, 1937."

Cocuyo. m. Insecto coleóptero de la Amér. tropical.

P. Rico: cucubano, cucuyo, cocuyo.

Changa. f. Germ. Colilla del cigarrillo de marihuana.

Changuear. intr. (D. M.) Colomb., Cuba y P. Rico. Bromear. Muy poco usado en P. Rico. Pero se usa *chango:* bromista, gracioso

Cheche. m. (D. M.) Jaque, valentón.

En P. Rico: jefe, director, persona inteligente.

E. Rodríguez Herrera dice en su *Léxico mayor de Cuba* que recogen este vocablo el *Diccionario de la Sociedad de Literatos,* el de Barcia, Salvá y otros.

Despalillar. tr. (D. M.) P. Rico. Matar a una persona. Se usa muy poco en P. Rico, pero Malaret lo registra en su *Vocabulario de Puerto Rico.*

Son más frecuentados los verbos: *Despachar.* "Lo despacharon de un tiro." *Ultimar* [1]. "había sido ultimada por una persona en quien tenía íntegra confianza" (Carmen Alicia Cadilla, *Alma latina*).

También es frecuente en P. Rico el vulg. "Limpiarle a uno el pico".

Devolverse. r. (D. M.). Colomb., Chile, P. Rico y Venez. Volverse, regresar. "Me devolví a casa."

No es de uso frecuente en P. Rico, pero lo registra Malaret.

Elemento. m. Chile, Perú y P. Rico. fig. y fam. Persona de pocos alcances, babieca.

Se usa también por persona. "Juan es un buen elemento." "En el patio hay un elemento sospechoso."

Empañetar. tr. Amér. Central y P. Rico. Embarrar, cubrir una pared con una mezcla de barro, paja y boñiga.

La acepción del *Diccionario* general me parece anticuada. Es más correcta y moderna la que acertadamente registra el *Diccionario* manual.

Esculcar. tr. And., Colomb., C. Rica, Méx. y P. Rico. Registrar para buscar algo oculto.

"El que esculca yeguas viejas siempre encuentra cucarachas", dice el jíbaro puertorriqueño.

Escupidor. m. Ecuador y P. Rico. Escupidera.

En Puerto Rico se usa la voz escupidera por orinal, bacín, como en And., Argent. y Chile.

Gofio. m. P. Rico, Argent., Bol., Can., Cuba y Ecuador. Harina gruesa de maíz, trigo o cebada tostada.

En P. Rico el gofio se hace de maíz tostado y azúcar. La harina es muy fina.

Guabina. f. Ant., Colomb. y Venez. Pez de río, de carne suave y gustosa, el cuerpo mucilaginoso, algo cilíndrico, cabeza obtusa.

La fr. *más resbaloso que una guabina* es muy frecuentada en P. Rico.

Dícese de la persona desconfiada, lista; del que sale airosamente de cualquier empresa.

También se aplica al hombre que le "saca el cuerpo al matrimonio".

Guachinango, ga. Voz mexicana. adj. Cuba, Méx. y P. Rico. Astuto, zalamero.

P. Rico: burlón.

Macanudo, da (de macana). Argent., Cuba y P. Rico. Chocante por lo grande y extraordinario.

No se usa mucho en P. Rico.

Maraca. f. (del guaraní). Ant., Colomb. y Venez. Instrumento músico de los guaraníes, que consiste en una calabaza seca con granos de maíz o chinas en su interior, para acompañar el canto.

Ya tenemos maracas de metal o de materiales plásticos. P. Rico: sonajas o sonajeros de los niños.

Volantín. m. 4. Argent., Cuba, Chile y P. Rico. Cometa. 2.ª La armazón del volantín se hace en Puerto Rico con guajanas (tallos de la flor de la caña).

El cometa pequeño, de papel y varillas de hojas (palma de coco) se llama *chiringa.* Y el más pequeño, de papel, sin varillas, *capuchino.*

Yagrumo. m. P. Rico y Venez. Yagrumo hembra.

Ser uno como las hojas del yagrumo. Ser falso, inconstante, de dos caras. La hoja del yagrumo es por un lado verde y por el otro plateada.

"Yagrumo o Yurumo. Arbol que conserva este nombre. Cecropia peltata" (Doctor Agustín Stahl, "Vocabulario indoborincano", *Prensa literaria,* pp 36-37, año 2, núm. 4-5. Agosto-septiembre de 1964).

Comisión IV

OBSERVACIONES CRITICAS A ALGUNOS AMERICANISMOS QUE FIGURAN EN LOS DICCIONARIOS DE LA REAL ACADEMIA ESPAÑOLA

Ponente: D. Washington Lloréns
(Academia Puertorriqueña)

DICCIONARIO GENERAL (18.ª edición)
DICCIONARIO MANUAL (1950)

Abalear. tr. (D. M.) Colomb., Chile y Venez. Barbarismo por fusilar.

Este neologismo de acepción es frecuentado por los periódicos puertorriqueños, pero el pueblo lo rechaza.

Acriollarse. r. Amér. Merid. Contraer un extranjero los usos y costumbres de la gente del país. En Puerto Rico es más usada la voz APLATANARSE.

Ajotar. tr. (D. M.) Guatemala. Estimular, azuzar.

Es de mucho uso en Puerto Rico. "Le ajotaron las perros".

Anamú. m. Planta silvestre de la isla de Cuba.

Común en Puerto Rico. "La yerba que el chivo no masca".

Aplatanarse. r. fam. Cuba y Filip. Familiarizarse un extranjero con los usos y costumbres del país.

"...equivale a decir 'acriollarse, etc.', ej. 'un gallego aplatanado'" (Charles E. Kany).

T. en Puerto Rico.

Bachata. f. (D. M.) Cuba. Juerga, holgorio.

De mucho uso en Puerto Rico.

Cuba: *nañigo* y *bachata*. Haití: *vodu* y *calabaza*. Puerto Rico: *burundanga* (Luis Palés Matos).

Bienteveo. m. (D. M.) Argentina. Pájaro de un palmo de longitud, lomo pardo, pecho y cola amarillos y una mancha blanca en la cabeza.

Según Malaret, en Argentina dicen benteveo.

En la parte oriental de Cuba dicen *bienteveo* y en la oriental *chinchinguao* (E. Rodríguez Herrera).

Pero el bienteveo puertorriqueño dice claramente: biente-veo. El cubano dice: Chin... chin... guaaa... co.

Boche. m. fig. y fam. Venez. Bohazo. 2. fig. y fam. Venez. Repulsa, desaire. Dar boche, o un boche, a uno. fig. y fam. Rechazarle, desairarle.

Puerto Rico: Echarle a uno un boche vale reprenderle, reconvenirle, regañarle.

Bojote. m. Colomb., Hond. y Venez. Lío, bulto, paquete.

Puerto Rico: Estar uno hecho un bojote. Mal vestido.

Bombear. tr. (D. M.) Extraer agua de un pozo por medio de una bomba (Cuba).

T. en Puerto Rico.

Bufeo. m. (D. M.) Argent. y Perú. Marsopia o delfín.

T. en Puerto Rico. Persona muy fea.

Cabeciduro, ra. adj. Colomb., Cuba. Testarudo.

T. en Puerto Rico.

Cabuya. f. Voz caribe. Pita. 1.er Art. 2. Fibra de la pita, con que se fabrican cuerdas y tejidos. 3. And. y Amér. Cuerda, especialmente la de pita.

Dar cabuya. fr. Amér. Merid. Amarrar. 1.ª acep.

Puerto Rico. fr. Dar cabuya. Dar cuerda a uno. Halagar la pasión que le domina o hacer que la conversación recaiga sobre el asunto de que es más propenso hablar.

Calambreña. f. (D. M.) Cuba. Arbol silvestre que se cría en terrenos pobres y cuya madera sólo se emplea para quemar.

T. en Puerto Rico.

Calce. m. 5. Méx. y Guatemala. Pie de un documento El Presidente firmó el calce.

Se usa todavía en Puerto Rico.

Canilla. f. Colomb. Pantorrilla.

Puerto Rico: pantorrilla flaca o enjuta.

Darle a uno canilleras. fr. fig. y fam. Darle a uno temblores en las piernas por miedo o terror.

Sentir miedo. También se dice "darle a uno temblequeras".

Carpa. f. (D. M.) Amér. Merid. Toldo tendido de feria.

Chile, Méx. y Perú. Tienda de campo.

Puerto Rico. Tenderete de feria. La carpa del circo.

Cocolía. f. Méx. Ojeriza.

Puerto Rico. Cangrejo de mar.

Coquí. m. Cuba. Insecto de los lugares pantanosos que produce un monótono chirrido.

E. Rodríguez Herrera no cita la voz coquí en su *Léxico mayor de Cuba.*

Puerto Rico: Coquí *Eleutherodactylus portoricensis,* batracio de los anuros, indígena de Puerto Rico.

No es ni insecto (Academia) ni reptil (Santamaría y Malaret) y apenas es anfibio (Tomás Blanco).

Cundiamor. m. Cuba y Venez. Planta trepadora, de la familia de las cucurbitáceas, de flores en forma de jazmines y frutos amarillos, que contienen semillas muy rojas.

El cundiamor (cundeamor) abunda mucho en Puerto Rico.

> *Cuando salí de Collores,*
> *fue en una jaquita baya,*
> *por un sendero entre mayas*
> *arropás de cundiamores.*

(Luis Lloréns Torres, *Valle de Collores.*)

Chango. m. (D. M.) Chile. Hombre torpe y fastidioso.

Puerto Rico. Bromista, guasón, amanerado.

Chiringo. m. Méx. Fragmento o pedazo de una cosa.

Puerto Rico. Caballo pequeño, matote, chongo.

Chongo. m. Méx. Moño de pelo. Guat. Rizo de pelo. Méx. Chanza, broma. P. R. Caballo malo.

Chupaflor. m. (D. M.) Especie de colibrí propio de Venezuela.

T. de Puerto Rico.

Dajao (voz cubana). m. Pez de río de buena carne.

T. de Puerto Rico.

Devanarse. r. (D. M.) Cuba y Méx. Retorcerse de risa, dolor, llanto.

Puerto Rico. En la fr. devanarse los sesos.

Dita. f. 2. Albac., Chile y Guat. Deuda.

Puerto Rico. Taza hecha de la segunda corteza del coco. T. de la corteza del higüero.

Eleccionario. adj. (D. M.) Argent., Colomb., Chile y Ecuador. Electoral.
T. en Puerto Rico.

Elefante blanco. fr. fig. Arg., Chile y Perú. Cosa que cuesta mucho mantener y que no produce utilidad alguna.
La fr. se usa mucho en Norteamérica: *white elephant.*

Embelequero, ra. adj. (D. M.) Chile. Frívolo, aficionado a embelecos o cosas fútiles.
U. t. c. s. en Puerto Rico.

Empella. f. ant. Pella. 5.ª acep. U. en Colomb., Chile y Méx.
T. en Puerto Rico.

Empercudir. tr. (D. M.) Cuba. Percudir, dicho especialmente del mal lavado de la ropa.
T. en Puerto Rico.

Empipada. f. (D. M.) Chile, Ecuad. Hartazgo, hartada.
T. en Puerto Rico.

Empiparse. r. (D. M.) Chile y Ecuad. Apiparse, ahitarse.
T. en Puerto Rico.

Enchivarse. r. Colomb. y Ecuador. Emberrenchinarse, encolerizarse.
T. en Puerto Rico.

Endrogarse. r. Méx. y Perú. Contraer deudas o usar drogas. Puerto Rico. Usar estupefacientes.
La Academia ya le dio carta de naturaleza al verbo drogar y a su forma pronominal drogarse.

Enfunchar. tr. (D. M.) Cuba. Enojar, enfadar. U. t. c. r.
En Puerto Rico se usa también el adj. *enfunchado, da.* Enojado, enfadado.

Extinto. m. y f. (D. M.) Argent. y Chile. Muerto, difunto.
T. en Puerto Rico.

Extrañar. tr. And., Amér. Central, Chile, Ecuador, Méx. y Perú. Echar de menos a alguna persona o cosa, sentir su falta.
Mugía la vaca extrañando a su cría.
T. en Puerto Rico.

Fajar. tr. Can., Cuba, Chile y Perú. Pegar a uno, golpearle. Le fajó dos bofetadas. Luis le fajó a Juan. 4. rec. Irse a las manos dos personas.
Puerto Rico. Además de las acepciones académicas, trabajar. Se fajó todo el día. Dedicarse a algún trabajo con en-

tusiasmo y determinación. Pedir dinero prestado. Pedro le fajó a Juan por dos pesos. fr. fig. y fam. Dar un fajazo. Pedir dinero.

Festinar. tr. Colomb., Hond., Méx. y Venez. Apresurar, precipitar, activar.

Puerto Rico. *Festinado, da.* adj. Dícese de lo que se hace con prisa y descuidadamente.

Follisca. f. Colomb. y Venez. Fullona, pendencia, gresca.

T. en Puerto Rico.

Fotuto. m. Cuba. Caracola. 1.ª acep. o cualquier instrumento de viento que produce un sonido fuerte.

Puerto Rico. Además de la acepción citada, pito cónico de cartón, con embocadura de madera.

T. en Santo Domingo.

Fungir. intr. (D. M.) Cuba y Méx. Desempeñar un empleo o cargo.

Puerto Rico. Dárselas de, echarlas de. Fungir de alcalde, de rico, de intelectual.

"En cambio, algunos que fungían de Adonis..." *(El Mundo,* 16 de mayo de 1953).

"El mulato, que le agradaba fungir de profeta" *(Puerto Rico Ilustrado).*

Gallo. m. (D. M.) Colomb., Costa Rica, Chile y Méx. Hombre fuerte, valiente.

Puerto Rico. Hombre brillante, agresivo, inteligente.

"Es un gallito." "Es un gallo de pelea."

Gumbado, da. adj. (D. M.) Cuba. Patizambo, que tiene piernas torcidas.

T. en Puerto Rico.

> *En la calle de la Tanca*
> *estaba Simón parado,*
> *de los palos que le dieron*
> *lo hicieron bailar gambado.*

Guagua. f. (voz cubana). Cosa baladí. 2. Cuba. Insecto pequeño.

De guagua. m. adv. fam. De balde.

Puerto Rico. Autobús.

La voz quichua guagua, registrada también en el *Diccionario* de la Academia, significa en Argentina, Bol., Chile, Ecuador y Perú, rorro, niño de teta.

Guandú. m. Bot. C. Rica, Cuba y Hond. Arbusto de la familia
de las papilionáceas...

En Puerto Rico abunda la Cajan Cajan (L). Gandul, gandur, guandur, gandures, gúandú.

"Guandú (Cajan cajan o *cajanus indicus).* m. En Antillas,
Centroamérica, Venezuela y Colombia, arbusto, el gandul,
y esencialmente su fruto. La planta se usa en Costa Rica
para sombra del cacaotero y del cafeto.

En el Brasil cuandú o también guandú" (Santamaría).

La planta se usa en Puerto Rico en las guardarrayas.

Por traslación, el gandur mismo. "Arroz con guardarraya."

Guano. m. (D. M.) Cuba. Nombre genérico de varias palme-
ras. Cuba. Penca de la palma.

Puerto Rico. Materia algodonosa de la baya del *Ochroma
pyramidale,* usada para rellenar almohadas y colchones.

Guaraguao. m. (D. M.) Cuba. Especie de águila (General).

Zool. Ave rapaz diurna, parecida al borní.

Santamaría: "Voz caribe. En las Antillas y Tabasco, ave
falcónida, muy parecida al gavilán."

Santamaría cita en su *Diccionario general de americanismos* varias plantas de Puerto Rico que llevan este nombre: Guarea. Guarea Jcq. Guarea ramiflora (guaraguao
macho).

No se le escapa a Santamaría la fr. fig. y fam. Cada guaraguao tiene su pitirre, muy usada en Puerto Rico.

Nuestro poeta José de Diego tiene un poema, *Pitirre,* con
el lema: *Cada guaraguao tiene su pitirre* (Adagio puertorriqueño).

Para José de Diego el guaraguao es "lo único agresivo y
fiero que tiene nuestra pobre tierra":

Guaraguao largo y oscuro de alas imperiales...
Guarda en el pecho potente tu instinto de guerra
y el rayo de la ira en tus ojos fatales,
que tú eres lo único que puede curar nuestros males,
¡lo único agresivo y fiero que tiene nuestra pobre tierra!

Insultada. f. (D. M.) Hond. Mal dicho por insulto.

T. en Puerto Rico.

Interinato. m. (D. M.) Chile. Cargo o empleo interino.

T. en Puerto Rico.

Jaiba. f. Cuba. Especie de cangrejo moro de concha casi plana.

Puerto Rico. Astuto, que se pasa de listo. Jaibería es la astucia, especialmente del campesino marrullero.

"Toro jaiba, toro mañoso, toro de cría" (Abelardo Díaz Alfaro, *Terrazo*).

"Conservamos el orgullo, la vieja actitud señorial del español—minada de jaibería—" (Rubén del Rosario, *Problemas de lectura y lengua en Puerto Rico*).

Julepe. m. (D. M.) Amér. Merid. Susto, miedo. Méx. Trabajo, sufrimiento. Puerto Rico. Lío, desorden, fiesta brava.

Julepear. tr. Méx. (D. M.) Atormentar, fatigar.
Puerto Rico. Embromar. "Fiestar".

Lama. f. Hond. Musgo.
T. en Puerto Rico.

Machota. f. fam. And. y Méx. Marimacho.
Puerto Rico. Mujer garrida. Buena hembra.

Machote. m. Hond. Borrador, dechado, modelo.
Puerto Rico. Bravucón. Buen mozo.

Majarete. m. (D. M.) Ant. y Venez. Barbarismo por manjarete.
Puerto Rico. Desorden, confusión.

Majaderear. tr. (D. M.) Ant., Chile y Perú. Importunar, molestar. U. t. c. intr.
Puerto Rico. vulg. Majaredear.

Malagradecido, da. adj. Hond., Ecuad. y México. Desagradecido, ingrato. (D. M.)
T. en Puerto Rico.

Mamadera. f. (D. M.) Cuba. Pezón de goma del biberón.
T. en Puerto Rico.

Mamalón, na. adj. Cuba (D. M.) Mangón, holgazán.
T. en Puerto Rico.

Manganzón, na. adj. Cuba, Hond., Perú y Venez. Holgazán.
T. en Puerto Rico.

Manito. f. (D. M.) Chile y Puerto Rico. Barbarismo por manecita.
En Puerto Rico se dice manita. "Qué linda manita que tengo yo..."

Marioneta. f. (D. M.) Galicismo por títere, figurilla, fantoche.
T. en Puerto Rico.
Figurará en la próxima edición del *Diccionario* general.

Maromero, ra. m. y f. Cuba, Méx. y Perú. Dícese del político versátil. (D. M.)
T. en Puerto Rico. Versátil, "Tajureador". "Malamañoso". Pájaro de cuenta.

Mascadura. f. (D. M.) Hond. Pan o bollo que se toma en el café o chocolate.

Puerto Rico. Porción de tabaco que se toma de una vez en la boca para mascarlo.

Argentina. Mascada.

Morisqueta. f. (D. M.) Chile, Perú y Venez. Visaje, mueca, mohín.

Puerto Rico. "Apostar pesos a morisquetas."

Motete. m. (D. M.) C. Rica y Hond. Atado, lío, envoltorio.

T. en Puerto Rico.

"Tocaban a retirada y los jíbaros, olvidando sus dolamas hacían sus motetes y liaban sus petates apercibiéndose para la ominosa fuga" (Academo).

Muchitanga. f. (D. M.) Populacho.

Puerto Rico. Muchachería.

Novedoso, sa. adj. (D. M.) Chile y Río de la Plata. Novelero.

Puerto Rico. Nuevo.

Parejero, ra. adj. 3. Amér. Merid. Dícese del caballo de carrera y en general de todo caballo excelente y veloz. U. t. c. s.

Venez. Dícese de quien procura andar siempre acompañado de alguna persona calificada.

Puerto Rico. Vanidoso, altanero, presuntuoso.

"Sobre todo cuando los veía impresos, orondos y presumidos; parejeros, como decimos aquí" (Tomás Blanco, *Asomante).*

Pitahaya. f. (D. M.) Perú. Planta de la familia de los cactos.

"En el pueblo de Arroyo hay un barrio que se llama Pitahaya."

Pitirre. m. (D. M.) Cuba. Pájaro algo más pequeño que el gorrión, pero de cola más larga; de color oscuro, que anida en los árboles y se alimenta de insectos. Sigue a las auras y las limpia de los parásitos que las mortifican.

José de Diego también le canta al pitirre:

Súbito un grito el aire atraviesa...
Lleva erigida el pitirre la punta sutil de un florete
Y ¡pitirre! resuena su grito,
Cada vez que el audaz pajarito
Como una rígida flecha el cuello del monstruo acomete.

V. *Guaraguao.* Cada guaraguao tiene su pitirre.

Platanero, ra. adj. Cuba. Dícese del viento huracanado que llega a abatir las matas de plátanos.

Nuestros jíbaros les temen a las tormentas plataneras, pero no tanto como a las batateras. Dicen que las bataterras arrancan las batatas, cosa que no es de creer.

Pringamoza. f. Cuba. Bejuco cubierto de una pelusa que produce en la miel gran picazón Colomb. y Hond. Especie de ortiga.

Puerto Rico. Pringamoza. *Tragia volubilis* (L.).

Rolo. m. (D. M.) Colomb. Rodillo de imprenta.

Puerto Rico. Pasar el rolo. Desaprobar. "Le pasaron el rolo al proyecto de ley."

Sábila. f. (D. M.) Cuba. Aloe, planta.

Puerto Rico. *El Aloe vulgaris* (Zábila) que el jíbaro usa para aliviar sus "dolamas".

Sancocho. m. Amér. Central y Merid. Olla compuesta de carne, yuca, plátano y otros ingredientes, y que se toma en el almuerzo. "El arroz con habichuelas y el sancocho son los platos criollos de Puerto Rico."

Sarazo, za. adj. Colomb., Cuba, Méx. y Venez. Zarazo (fruto a medio madurar).

Puerto Rico. Se aplica al agua del coco maduro y por extensión a todo el coco. "El agua del coco zarazo es picante."

Sicote. m. (D. G.) C. Rica, Cuba, Méx. y Vizc. Cochambre del cuerpo humano, especialmente de los pies, mezclada con el sudor.

Puerto Rico. Cochambre de los pies.

Taco. m. (D. M.) Amér. Merid. Tacón del calzado.

Puerto Rico. Taco para el calzado masculino, tacón y taco para el femenino.

Tángana. Tanga. f. Chile, juego (D. M.).

Puerto Rico. Trifulca. "Revolú".

Tomador, ra. adj. Argent. y Chile. Bebedor, aficionado a la bebida.

T. en Puerto Rico.

Tusa. f. Amér. Merid. Ant. y Cuba. (D. M.)

Bol., Colomb. y Venezuela en el *Diccionario* general.

Zuro, raspa de la mazorca después de desgranada.

Amér. Central y Cuba. Espata de la mazorca del maíz.

Amér. y And. Pajilla, cigarro. Chile. Orines de caballo.

Colomb. Hoyo de viruela. fig. Amér. Central y Cuba. Mujer moralmente despreciable.

Puerto Rico. Mazorca de maíz desgranada. Zuro.
Fig. Persona despreciable.

Vidorria. f. fam. despect. Colomb. y Venez. Vida, modo de vivir. Argent. Vidorra.
En Puerto Rico se usa como en Colomb. y Venez. (Con intención peyorativa.)

Virazón. f. Sant. Cambio repentino de viento, y especialmente cuando el del Sur huracanado sucede al Noroeste.
Puerto Rico. "Siempre lo encontró la virazón en la tormentera" (Academo).

Visitadora. f. Hond. y Venez. Ayuda, lavativa.
T. en Puerto Rico.

La jeringa de Minga, si el alcalde se enferma.
La jeringa de Minga, cuando se enferma el juez.
La jeringa de Minga, que está muy grave Anselmo.
¿Se enfermó el padre cura? ¡La jeringa otra vez!

(¿Pasará en todas partes lo que aquí pasa ahora,
y por eso la llaman también "visitadora"?
Al ver lo que ocurría me preguntaba yo.)
Y cuentan las historias que a la pobre Dominga,
tanto la jeringaron, que rompió la jeringa,
y de allí en adelante nadie más jeringó.

(Virgilio Dávila, *Pueblito de antes.*)

Nótese la forma reflexiva del verbo enfermar, que tanto se usa en América.

Yerbatero, ra. adj. (D. M.) Chile. Dícese del curandero o del médico que receta principalmente hierbas.
Puerto Rico. Dícese del curandero que receta principalmente hierbas.
También *botánico.* Y el sitio donde se expenden las hierbas, *botánica.*

Chiquero. m. (de cochiquera). "Zahúrda donde se recogen de noche los puercos. 2. Toril. 3. Extr. Choza pequeña en que se recogen de noche los cabritos. (Academia.)
La voz chiquero, que significó primitivamente recinto o corral (Corominas), tiene en América ligeras variantes

semánticas. En Colombia vale zahúrda en que se recogen los puercos no solamente de noche, sino también de día (Julián Motta Salas, *Observaciones críticas al Diccionario de la Real Academia Española*).

En Venezuela—dice Calcaño—se usa la voz chiquero lo mismo que en las Canarias aplicándola al espacio pantanoso que ocupa un cerdo que se ha atado a una estaca o a un árbol para criar o para engordarlo. Por extensión, cualquier lugar desaseado y pantanoso... En el Plata se ha extendido a significar corral de cerdos, de ovejas o de terneros (*El castellano en Venezuela*). También en Guatemala como en la zona del Plata se da a la voz chiquero este significado amplio que comprende hasta los terneros de las vacas que se ordeñan de mañana, e igual en P. Rico y en Sto. Domingo, con referencia al ganado caprino y, al mismo tiempo, la pocilga donde se recogen los cerdos por la noche. Cochiquera dícese también en Cuba (E. Rodríguez Herrera, *Léxico mayor de Cuba*, 1958).

En Argentina, según Morínigo, y también en Paraguay y en Uruguay, el chiquero es un corral de cerdos o gallinas. Morínigo cita la fr. "La oveja más ruin es la que rompe el chiquero."

En Navarra, chiquero es el sitio en que se ordeña el ganado.

Ya tenemos en el chiquero, pues, cerdos, ovejas, terneros, ganado y hasta gallinas.

A. Tenorio D'Albuquerque opina que chiquero viene de la voz chico, que en Brasil también significa sitio para los chanchos (¿brasilerismos o americanismos? Observaciones al *Diccionario* de Malaret. BAAL., XLV, 1945).

Con ligeras variantes semánticas el chiquero se usa en España, Cuba, Puerto Rico, Colombia, Venezuela, zona del Plata, Guatemala, Santo Domingo, Brasil (chiqueiro). Y en cada país las variantes semánticas están de acuerdo con las costumbres y las circunstancias.

Podemos sacar, pues, de los usos particulares, acepción general: chiquero, m. Sitio donde se amarran o se recogen animales.

Los "americanismos", casi todos de origen español, pasan de un país a otro, y al pasar adquieren ya variantes semánticas, ya nuevas acepciones.

LENGUAJE DE GERMANIA EN PUERTO RICO

LENGUAJE DE GERMANIA EN PUERTO RICO

Lenguaje de Germanía... ¿Y con qué se come eso? Preguntarán en lenguaje de lo mismo más de dos lectores. Pues en un dos por tres quedará todo aclarado con sólo asomarnos, aunque sea tímidamente, a un divertido, aunque tenebroso, mundo de jácaros y jacarandanas.

Eso que don Pedro M. Benvenuto Murrieta[1] llama un arroyo sucio y magro, es en realidad un sargazo putrefacto que dejan en la playa las olas del idioma. En España lo llaman ahora caló; en Francia, argot; en Argentina, lunfardo, y a orillas del Plata, cocoliche.

Germanía (del lat. *germanus*, hermanó)[2] es jerga o manera de hablar de ladrones y rufianes, que usaban ellos solos y compuesta de voces del idioma español con significación distinta de la genuina y verdadera, y de otros muchos vocablos de orígenes muy diversos.

Y con un poco más de gracia define el término don Sebastián de Covarrubias[3]. "Es un cierto lenguaje particular de que usan los ciegos con que se entienden entre sí. Lo mismo tienen los gitanos, y también forman lengua los rufianes y los ladrones, que llaman germanía..."

---

[1] *El lenguaje peruano,* 1936.
[2] *Diccionario de la Lengua Española,* 1956. Enero a 20 de 1937, págs. 226-267.
[3] *Tesoro de la Lengua Castellana.*

Lo que deja malparados a los ciegos, que no todos son ciegos de oficio en liga y monipodio con rufianes y ladrones.

A poco que escudriñe usted el docto y remilgado *Diccionario de la Real Academia Española,* encontrará no pocos vocablos de germanía. Como lo demuestra el siguiente pasaje compuesto por don Miguel de Toro y Gisbert con palabras de germanía registradas en el *Diccionario de la Real Academia Española:* "El brasa salió de la alegría donde había estado piando varias plantosas de turco con otros potados, y pillando hasta perder la cairelota."

La traducción, en "cristiano", de este pasaje "castizo" es la siguiente: "El ladrón salió de la taberna donde había estado bebiendo varias tazas de vino con otros borrachos y jugando hasta perder la camisa."

Sería de poca monta el nacimiento de un lenguaje de germanía en Puerto Rico si no fuera por esa ósmosis lingüística de que nos habla Justino Cornejo en su *Diccionario del Hampa Guayaquileña* [4]. "En materia idiomática se produce, con frecuencia, lo que yo he llamado fenómeno de ósmosis lingüística, fenómeno en cuya virtud pasan términos de una lengua (o jerigonza, como en el presente caso) a otra con la cual convive; o también, a cuya merced las voces que fueron originariamente cultas bajan al vulgo, y viceversa, como puede observarse en el *Diccionario* Académico, en donde muchas son las palabras que figuran precedidas de la abreviatura Germ."

A este fenómeno de ósmosis lingüística se debe el traspaso de las siguientes palabras de germanía española al lenguaje vulgar: acorralar (arrinconar a uno), agarrar (tomar o asir), agravio (ofensa), alerta (estar apercibido), belitre (pícaro), bufar (dar gritos), bramar (gritar o dar voces), cambiar (trocar), columbrar (mirar), chusma (muchedumbre), clamar (dar voces), escalador (ladrón que hurta por escalera), espiar (atalayar o malsinar), fornido (recio), guiñar (señalar o hacer el ojo), luceros (ojos), mandamientos (dedos de la mano o la misma mano), maleante (burlador), novato o novatón (nuevo, sin experiencia), parlar (hablar), perlas (lágrimas), cuatrero (ladrón que hurta bestias), rescatar (librar), zafarse (evaporarse), bisoño (nuevo).

Y el lector que no crea en el origen plebeyo de estas pa-

---

[4] *Boletín de la Academia Argentina de Letras,* tomo XII, número 86.

labras, que se lea el Vocabulario de germanía compuesto por Juan Hidalgo [5]. ¿A qué enamorado galán se le vendrá a las mientes que nombra en lenguaje de germanía los grandes luceros de la dama de sus pensamientos y las perlas que corren por sus mejillas nacaradas y las picarescas guiñadas que hace tras el abanico? Ni menos pensará en el origen jacarandoso de sus palabras el literato que se relame de puro gusto cuando frecuenta los vocablos fornido, novato, parlar, rescatar, bisoño y otros por el estilo. Y los que todo lo agarran sin tener garras, ¿pensarán acaso que la palabreja está cargada de sedimentos plebeyos?

Además de lo que tengo dicho, nos interesan los léxicos de germanía porque vienen como de perlas para frecuentar el donoso mundo de la picaresca española. ¿Quién daría con el significado de la palabra TRENA que aparece en *El Diablo Cojuelo*, si no fuera por esa mal entendida previsión de la Academia? ¿Y quién entendería el sentido del vocablo FARAUTE usado por Gracián en *El Criticón*, si la docta casa no se encarga de decirnos que vale MANDILANDIN o criado de rufianes o de mujeres públicas? Y si nos tropezamos en Estebanillo González con un MANDIL de germanía, la misma Academia se encarga también de decirnos que es lo mismo que MANDILANDIN.

¿Cómo se forman estas jerigonzas en las capas más bajas del pueblo? La Academia nos advierte que la germanía se compone de voces del idioma español con significación distinta de la genuina y verdadera y de otros muchos vocablos de orígenes muy diversos. Tiene la germanía, además, ingeniosos tropos, algunos disfemismos, donosos eufemismos y no pocos contagios semánticos.

Muchas son las palabras del idioma español con significación distinta, con cambios semánticos, que usan los germanos y rufianes en todos los pueblos de América. En Puerto Rico hay abundantes ejemplos: achocar (vender drogas narcóticas adulteradas, dar gato por liebre), atómico (maleante que bebe "alcohol desnaturalizado"), brete (amorío), camarón (agente de policía), consorte (amigo), nevera (cárcel),

---

[5] *Orígenes de la Lengua Española,* compuesto por varios autores, recogidos por don Gregorio Mayáns y Siscar, Madrid y enero a 20 de 1937, págs. 226-267.

chota (soplón), pestillo (novio), matrimonio (arroz con habichuelas), mixta (arroz, habichuelas y carne).

Y no menos abundantes son los ejemplos de voces inglesas deformadas: chutazo (de shot), chutiar (de to shoot), deque (de deck), endecar (de deck), esnifiar (de to sniff), estofa (de stuff), escrachado por desharrapado, enfermo, arruinado (de scratch), janguear por frecuentar (de to hang), juquearse por inyectarse (de to hook), jolope por atraco (de hold up), pana por amigo íntimo (de partner), tofete por bravucón (de tough), blofear por engañar, fanfarronear (de bluff).

Con los anglicismos burdamente castellanizados andan los anglicismos de acepción, como CORTAR (del inglés to cut) por adulterar una droga. Y no pocas palabras castellanas deformadas: culeco por contento, envanecido (de clueco), enchirolar (enchironar), estrasijado (trasijado), morfí (apócope de morfina).

De orígenes diversos son las siguientes voces de la germanía puertorriqueña: grifo (marihuana), güiza (mujer pública), guillarse (inyectarse heroína), jara (agente de policía), mangar (arrestar), moto (fumador de marihuana), mota (marihuana), reis (agentes de policía), tecata (heroína).

De la clásica germanía española pasaron a Puerto Rico algunos vocablos: gumarra (mujer pública). Viene de gomarra, que en la germanía española significa gallina. Linternas (lanternas) por ojos. Mandamientos por dedos. "Los cinco mandamientos."

Del lenguaje plebeyo la germanía puertorriqueña aprovecha términos muy curiosos: ababacharse. r. (Avergonzarse). Bembetear. intr. (Charlar, Chismear). Chévere. adj. (Fenomenal). Chavar. tr. (Molestar). Chuchin. adj. (Primoroso). Enchumbar. tr. (Empapar). Enfogonarse. r. (Acalorarse). Empantalonarse. r. (Lo mismo que enfogonarse). Fatulo, la, adj. (Cobarde. Falso). Mandulete. m. (Zángano, holgazán). Maco (ojo). Nacarile. adv. neg. (No. Nada. De ninguna manera, de ningún modo). Pachó. m. (Ridiculez). Pitorro. m. (Ron de mala calidad).

No pocas transgresiones gramaticales y semánticas de nuestros germanos han penetrado el lenguaje vulgar. "Fulano es buena gente", es frase que se oye en todas partes. Gente es pluralidad de personas. Y aunque el uso ha autorizado el plural gentes (Hay gentes muy peregrinas) [6], no me parece lindeza el empleo de gente por una sola persona, a pesar de que "en lenguaje poético se ha empleado gens con referencia a una sola persona: Virgilio *(Eneida* X, 228), escribe: "vigilasme, deum gens, Acnea" [7].

MEN, plural de MAN (hombre) en la lengua inglesa, vale en nuestra germanía y en la de algunos países hispanoamericanos, amigo de confianza, "pana", "consorte". "Oye, men, ¿te queres chutiar?"

De ahí a que se forme el plural "MENS" hay solamente un paso.

Existe una jerigonza de adolescentes que tiene muchos puntos de contacto con el lenguaje de germanía. "Estoy en un gas" (No tengo dinero). "Voy de cachete" (de balde, de mogollón).

Tampoco están muy lejos del lenguaje de germanía las damitas que dicen inocentemente: "Este traje está chuchin" (primoroso). "El peinado te queda chévere" (bien). "Mi novio me estuvo chavando toda la mañana" (molestando, fastidiando).

Y es que la juventud "elegante" tiene también su jerga, su lenguaje de germanía, que los padres no pueden entender a veces. El "estoy en un gas", tan plebeyo, es hoy la expresión más "refinada", más "chuchin", de algunas damitas remilgadas.

El que oiga una conversación de "teen-agers" en esos "matinés" de las cuatro de la tarde (?) tendrá germanía para rato.

—Oye, chica, mi levante tiene los hilos cambiaos, me reresultó pato. Y yo que lo creía machote. Estoy ababachada. ¡Qué pachó! Ya no podré salsiarme.

—Mira, tu pestillo acaba de entrar al ladies de los hombres.

Como algunas novelas hispanoamericanas, esta charla pide glosario. Levante. m. Conquista. Pestillo. m. Novio. Pato. m. Afeminado. Machote. m. Buen mozo. Ababacharse. r. Avergonzarse. Pachó. m. Ridiculez. Tener los hilos cambiaos. Carecer de los atributos de la masculinidad. Ladies. m. Tocador.

---

[6] Varela, en *El Comendador Mendoza.*
[7] *Boletín de la Academia Argentina de Letras,* tomo XIV, número 52.

Retrete. Lo que nosotros llamamos "servicio sanitario", inodoro, y en España, W. C. o "el water".

Ladies (voz inglesa) es el plural de lady (dama). No hay mucha diferencia entre el "water closet" de los españoles y el "ladies" del lenguaje vulgar puertorriqueño. Pero ¿por qué llamar "ladies" al retrete de los hombres? En todo caso sería "el gentlemen". A lo que llegan la corrupción del idioma y los eufemismos...

El siguiente diálogo entre tecatos anda por los mismos tortuosos vericuetos del idioma:

—¿Qué pasa, men? ¿Cómo está tu tía?

—No consigo la estofa. Estoy loco por curarme.

—¿Tú esnifeas o te chuteas?

—Me chuteo. Acabo de romper campaña y necesito el fenómeno para darme un vacilón chévere. ¿Dónde puedo conseguir la tecata?

—Tengo una pana fuerte que está disparando.

—Pues llévame, pana. Tengo el mono trepado en la espalda.

—¿Dónde está tu guiza?

—Allá abajo. Le di a la machota de arroz y de masa.

—Toma, dale el mate a esta chicharra.

—Tumba, ahí viene la jara.

Este diálogo también quiere vocabulario (léase disparatario). Men. m. hombre, amigo. Curarse. r. Medicinarse, usar heroína. Estofa. f. Heroína. Esnifiar. tr. Sorber heroína por la nariz. Chutearse. r. Inyectarse. Romper campaña. fr. fig. Salir de la prisión. r. Fenómeno. m. Heroína. Vacilón. m. Borrachera. Euforia. Disparar. tr. Vender. Guiza. f. Mujer pública. Tener el mono trepado en la espalda. fr. fig. Dicen así los heroinómanos cuando sienten los primeros síntomas que la falta de la droga causa en el organismo. Allá abajo. fr. En la cárcel. De arroz y de masa. Sin compasión. Dar el mate. fr. Comerse la colilla de un cigarrillo de marihuana. Chicharra. Colilla. Jara. m. Agente de policía.

Estas palabras "de que la gente baxa e de servil condición se alegran", invaden, como ya tengo dicho, el lenguaje vulgar. Véanse, si no, los siguientes pasajes que hemos copiado, sin quitarle puntos ni comas, de nuestros periódicos:

"Me insultó en forma que mandaba madre."

(Me puso como no digan dueñas.)

"Desde que Marcelino Romany le dañó el pasodoble a González Blanes."

(Dañar el pasodoble vale estorbar, entorpecer, causar dificultades.)

"Eran tres flacas y sólo siete gordas, pero éstas ganaron de calle" (fácilmente).

"La cosa es el día de Año Nuevo y Félix está como coco."

Como coco o como coquito. Dícese de lo que está en buenas condiciones. Una mujer está como coquito cuando es bella sobre garrida.

"Al ejército brasileño le dio por echárselas."

Echárselas de... es frase que se tiene por puertorriqueña, pero se codea en el *Diccionario de la Real Academia* con muchas de noble estirpe, como "echar menos (echar de menos), echar a perder, echarlo todo a rodar". En Puerto Rico se usa a veces sin la partícula de "Fulano se las echa".

"... Y dueño de la emisora donde suelo bembetear."

(Bembeteo vale charlar; bembetear, parlar, charlar.)

"Se anunció el único plato del día con su vinito por la izquierda."

Aquí izquierda vale "por añadidura".

Tener una izquierda es tener una amante, una gumarra. Por la izquierda es lo mismo que ilegalmente, por los cercados ajenos.

Pero no andan tan por la izquierda los izquierdistas. Izquierdar, intr. fig. significa en el español académico apartarse de lo que dictamina la razón y el juicio. Y el sustantivo izquierda vale torcido, no recto.

Izquierdar, apartarse del camino recto de la razón, es palabra metafórica felizmente inventada tal vez por fray Luis de Granada en el *Símbolo de la fe* (Clemencín).

"Pero ante el más fugaz recuerdo de la peligrosa aventura, de nuevo izquierdea su adelgazada y liviana imaginación..."[8].

"El guardia se fue cantando bajito" (con el rabo entre las piernas).

"Le limpiaron el pico." (Lo mataron o asesinaron.)

"Se puso los patines." (Tomó las de Villadiego.)

"Pasar el macho." (Divertirse, entretenerse, jorobar.)

---

[8] Mis páginas preferidas, RAMÓN MENÉNDEZ PIDAL, Madrid, 1957, art. "Un aspecto de la elaboración del *Quijote*", pág. 262.

"¿Qué es lo suyo?" (¿Qué te propones? ¿En qué piensas? ¿Por qué te preocupas?)

"Me divertí en bruto." (Mucho) [9].

Hay voces anotadas que no son precisamente de origen rufianesco. Chuchin, por ejemplo, me parece expresión natural del habla infantil. Pon [10] (viaje de balde), guagua (autobús), de cachete (de balde), son voces de un delicioso y sano humorismo. Pestillo (novio) y apestillarse (pelar la pava) tienen graciosas connotaciones. Neñeñé (nadería, tiquismiquis), como chuchin y pon, parecen balbuceos infantiles.

Graciosa cosa es salpicar el lenguaje humorístico con estas expresiones de pueblo, pero no debemos olvidar que "el bien hablar no es común, sino negocio de particular juicio" y que uno es la jerga de la plebe y otro la lengua del pueblo, esa que según fray Luis de León maman con la leche los niños y hablan en la plaza las vendedoras.

---

[9] Muchos modismos, giros, etc., que se tienen por puertorriqueños se usan en España y en los demás países de habla española. "Cortar el bacalao", por mandar, dominar, es fr. registrada en el *Diccionario de Modismos*, de RAMÓN CABALLERO, Buenos Aires, 1942.

[10] "Me dio pon en su automóvil." "Voy de pon."

USO Y ABUSO DEL GERUNDIO EN PUERTO RICO

El pícaro gerundio, diablo cojuelo del idioma

Con no poca gracia dice don Julio Casares [1] que "los estilistas de frase corta y sintaxis desatada no suelen pecar en el empleo del gerundio porque... huyen de él como de la peste". Y alguien dijo que la mejor regla para el uso del gerundio es no usar el gerundio.

Como es pícaro y diablo, me arrebata la pluma y dice por su cuenta "diablescamente":

Apoyado en dos muletas gramaticales me meto en todo. Soy la usura sintáctica, el enredo, la anfibología, el adjetivo, el participio, el adverbio, las pulgas de la parda gramática, la neguilla en la sembrada. Traje al mundo al gabacho decir y el morbo gálico, el guirigaray, el colorín colorado...

Con ser diablo de pocos oficios (no sé mejor oficio que servir de paje al verbo), los oficios que me endilgan los bachilleres no son cosa de creer.

Aunque fui parte de la oración (Nebrija), ahora soy sólo forma verbal. No llego ni a diablo completo. Con todo, soy más travieso que las pulgas del Maestro Burguillos.

Callado más por miedo soy. Por mí pecan los académicos, meten la pata los remilgados y los puristas, se enredan los tímidos, dan traspiés los audaces y hasta los gramáticos sudan.

Adjetivado y cojeando a más no poder frecuento las Academias, los periódicos... Torturo a las damiselas cuando "cogen la pluma con la mano" y hago temblar a los doctos

---

[1] *Crítica profana,* Buenos Aires, 1944.

cuando me tiran de los bigotes erizados o me lastiman los dos colmillos solos del desierto de mi boca.

Con ser diablo, me acerco a la segunda persona de la Santísima Trinidad. En tan buena compañía desaparece mi cojera; rítmico es mi andar, elegante mi forma. Solo, cambio de nombre y de oficio. Verbal es mi condición, pues de los verbos se hacen los gerundios, como de los hombres los obispos.

Soy el gerundio castellano, diablo cojuelo del idioma.

El participio de presente

Los traductores que toman por gerundio el participio francés terminado en *ant* y el participio de presente inglés terminado en *ing*, que es también la terminación del equivalente de nuestro gerundio, son los más asiduos prevaricadores del idioma español. Como dice don Juan Eugenio Hartzenbusch [2], a la sombra de libros bien escritos en francés, venden al simple vulgo una barbaridad española.

> *Unos traducen obras celebradas*
> *y en asadores vuelven las espadas;*
> *otros hay que traducen las peores,*
> *y venden por espadas, asadores.*

IRIARTE

El idioma español todavía conserva los participios de presente abusante, brillante, complaciente, concerniente, condescendiente, conducente, correspondiente, crujiente, fascinante, recurrente.

Pero según dice Lenz [3] "es un defecto incómodo de la lengua castellana que no tenga un participio de presente que exprese la acción verbal referida a un sustantivo sujeto sin distinguir entre la acción transitoria y la duradera".

Cuervo censura la proposición "... siete niños representando (que representan) los siete sacramentos"; Juan Eugenio Hartzenbusch, "... ventanas comunicando a las habita-

---

[2] Prólogo, *Diccionario de galicismos*, de BARALT, Buenos Aires, 1945.

[3] LENZ, ROFOLDO, *La oración y sus partes*, 3.ª ed., Madrid, 1935.

ciones interiores (ventanas que dan a lo interior), y Roberto Restrepo, "... una columna sosteniendo (que sostiene) la parte principal del edificio". Y con no poca razón, pues en estas frases el gerundio hace funciones adjetivales. El gerundio español tiene valor explicativo circunstancial, y en los ejemplos citados es diferencial. El gerundio se refiere al sujeto de la frase para explicarlo o para expresar una circunstancia accesoria, no para especificarlo.

En la frase "La dama, cerrando un ojo, se sonrió", no hay incorrección sintáctica porque cabe decir que la dama se sonrió al mismo tiempo que, al par que, cerraba un ojo.

Pero es incorrecto el gerundio en "Vi la estatua de la Libertad mostrando su antorcha", porque la estatua no es un ser animado. Es correcto el gerundio, sin embargo, en "Vi al corredor mostrando su olímpica antorcha", porque se trata de un ser animado que mostraba la antorcha en el momento en que yo lo vi. Mostrando expresa la acción en su transcurso, de acuerdo con la índole del gerundio español.

También es correcto el gerundio en "Juan, pensando que la cosa iba de veras, tomó las de Villadiego".

El gerundio indica un hecho transitorio o una simple información accesoria. Si quitamos la frase de gerundio, el sentido no se altera: "Juan tomó las de Villadiego."

En *El habla de mi tierra,* gramática amena, dice el reverendo padre Rodolfo Ragucci [4], con cuya noble amistad me honro, que basta sustituir el gerundio galicado por un adjetivo u oración de relativo equivalente diciendo por ejemplo:

"Se aprobó la ley persecutoria del contrabando, o que persigue el contrabando" (por ley persiguiendo el contrabando).

"Redactó la carta explicativa de su actitud, o que explicaba su actitud" (por la carta explicando...)

Y nos da una regla práctica para reconocer si el gerundio está bien empleado:

"Si se puede sustituir por una forma personal del verbo precedida de mientras, al mismo tiempo que, a la par que, en tanto que, etc., es generalmente correcto."

No debemos olvidar que todo gerundio debe modificar en algo a un verbo principal. Se puede decir con corrección: "Vi un caballo galopando", porque vemos el caballo al mis-

---

4 *El habla de mi tierra,* editorial Don Bosco, Buenos Aires, 1960.

mo tiempo que galopa. Hay en este gerundio la sensación de movimiento indefinido, esencial del gerundio castellano.

En la frase: "Una caja conteniendo libros" (que contiene), el gerundio conteniendo es atributo de caja y, por tanto, incorrecto.

De acuerdo con la Gramática de la Real Academia Española los verbos que pueden llevar el gerundio objetivo indican actos de percepción o comprensión: ver, oír, observar, distinguir o hallar; o de representación: como pintar, grabar, representar.

Cuando el gerundio se refiere al acusativo, la índole de la lengua exige que el acusativo sea un ser animado.

En la frase "Encontré a Luisa cantando", el gerundio explica lo que estaba haciendo Luisa (acusativo) cuando la encontré.

No encaja bien el gerundio en la ya famosa frase censurada por Bello (frase de mostrador): "una caja conteniendo libros" (Une caisse contenant des livres, a box containing books). La acción de contener no es transitoria y el gerundio es atributivo.

Casares [5] opina que "el olvido de los participios activos no sólo priva a la lengua de una utilísima y vigorosa forma verbal, sino que deja libre el campo al abusivo, impropio y bárbaro empleo del gerundio". Y, por tanto, echa de menos el uso de los participios activos *"temientes* a Dios" (Villena); "centauros *trayentes* armas" (A. de la Torre), "*creyentes* en Don Christo (Berceo), y señala el aumento de vida que hay de sonoro a sonante, de verdoso a verdeante.

Robles Dégano [6] advierte la falta de un participio de presente activo, y Martín Alonso [7] pregunta: "¿Por qué no se remozan las formas antiguas de participio de presente causante, promoviente, convediente, creyente?"

Los gramáticos han aceptado el empleo de ardiendo e hirviendo como atributos de sustantivos. Lenz [8] no ve la razón para que este uso no pueda extenderse a otros verbos.

También opina Martín Alonso [9] que existe la tendencia

[5] *Op. cit.*

[6] ROBLES DÉGANO, FELIPE. *Filosofía del verbo.* 1931.

[7] ALONSO, MARTÍN, *Ciencia del lenguaje y arte del estilo.* Madrid, 1953.

[8] *Op. cit.*

[9] *Op. cit.*

de ampliar la práctica de la regla a otros verbos: "Lleva en su centro un corazón manando sangre."

El uso, ley y norma del lenguaje, ha legitimado las locuciones con hirviendo y ardiendo: "Un gran lago de pez hirviendo a borbotones" (Cervantes).

En estas frases (agua hirviendo, leña ardiendo) hay elipsis de una oración atributiva compuesta del relativo que y el verbo estar [10].

En "Las ranas pidiendo rey" (título de una fábula) y "Napoleón pasando los Alpes" (título de un cuadro), los gerundios son explicativos del sujeto y expresan acción transitoria, pues es dado el arte conceder permanencia a un hecho transitorio [11].

Como de todo hay en las viñas del Señor, no faltan "gerundiadores" que defienden el gerundio galicado en nombre de la brevedad. Sobre tan descabellada *defensa* dice don Niceto Alcalá-Zamora y Torres [12]:

"La defensa, ya consciente y obstinada, de los galicismos suele hacerse en nombre de la mayor brevedad que dan a las palabras. No vivimos ni debemos vivir tan de prisa que, por ahorro de una letra o de una sílaba sacrifiquemos la corrección y limpieza del idioma."

Con más gracia se burla Casares [13]: "En esto de los anuncios podría alegarse que entre 'sabiendo' y 'que sabe' hay una diferencia de cinco céntimos la palabra".

Y dice verdad. El gerundio galicado parece como de encargo para los mensajes telegráficos: "Envío paquete tren saliendo tres tarde." Con esta suerte de gerundio le escamoteamos a nuestra mal llamada "Autoridad de Comunicaciones" unas perras chicas.

Ejemplos (Puerto Rico)

"Grupos de edad seis-doce años. Proporción asistiendo..."
"Los niños, gente creciendo..."
"... una antología conteniendo selecciones del extinto poeta aguadillano" (que contiene).

---

[10] ROBLES DÉGANO, *op. cit.*
[11] SELVA, JUAN B., *Guía del buen decir*, Madrid, 1915.
[12] BARALT, *Diccionario de galicismos*.
[13] *Op. cit.*

"Mojada, difícil, resbalosa como jabón o como su piel de mulato sudando."

"Era un hombre de baja estatura, color trigueño, tostado de sol, vistiendo pantalones de dril..." (que vestía).

"... la dorada cabellera flotando al viento."

"Ley asignando la suma de cien mil dólares para sufragar los gastos del estudio."

"Un cofre de madera conteniendo (que contiene) tierra puertorriqueña."

"... siendo visitado anualmente por más de 6.000 buques conduciendo alrededor de 150.000 viajeros."

"Uno de los últimos trabajos escultóricos de Juan Cristóbal consistía de un pedestal cuadrado, representando (que representa) el peñón de Gibraltar."

"Esta calle está los trescientos sesenta y cinco días del año bajo la picota de los obreros rompiendo, unas veces aquí y otras veces allá."

Estar siendo

Es cosa bien sabida que *estar* no hace buenas migas con *ser*. Aquél expresa lo transitorio, éste lo permanente. La perífrasis estar siendo + participio tiene además el impedimento de la voz pasiva, que repugna a la índole de nuestro idioma.

La frase "La casa está siendo pintada (The house is being painted) es calco del inglés. Hay más brevedad y elegancia en la forma cuasi refleja "Se pinta la casa".

Puede evitarse la construcción estar siendo

a) Con construcciones cuasi reflejas:

"Se discute el libro que ha escrito Pedro."

b) Con otro gerundio:

"Se estaba pintando la casa."

Ejemplos (Puerto Rico)

"La antigua casona del 3406 de la calle de Monroe está siendo demolida ahora..."

"... de un trabajo de los antepasados que estaba siendo comido por los gusanos..."

"No especifica los fines con que están siendo desarrollados estos platillos."

"... estaban siendo azotadas por la tempestad de la barbarie."

"Bajo el amplio Programa de Sellos para Alimentos que está siendo considerado."

"... dijeran que Estados Unidos está siendo conscientemente impopular en la América Latina..."

Kenny [14] afirma que la perífrasis *estar siendo* sólo se usa en América. Tengo para mí que debemos poner en tela de juicio la afirmación de Kenny. Véanse los siguientes pasajes de artículos publicados en la Prensa española.

"Hubo poesía de Rubén que fue moda, y por ventura está siendo olvidada" (*A B C.* Edición Semanal Aérea, Madrid, 9 de febrero de 1956).

"Pero el libro más discutido está siendo el que ha escrito Luis Powels..." (*Correo Literario de Madrid,* año V, segunda época).

Uso perfectivo de estar + gerundio

En la frase "le estoy enviando por correo..." no coincide la perfección del acto con la imperfección del tiempo empleado (estoy enviando), pues la forma estar + gerundio es imperfectiva (representa la acción en su transcurso) y el acto de enviar es de corta duración.

La perífrasis estar + gerundio con valor perfectivo es frecuente en la correspondencia comercial de Puerto Rico y de otros países hispanoamericanos.

El lexicógrafo Roberto Restrepo [15] confirma el uso en Colombia: "Tenemos otro uso reciente, y, sin duda, por ello más absurdo que los demás, y es el que se nota en cierta correspondencia comercial: Por este mismo correo le estamos enviando nuestros catálogos. Le estamos escribiendo..."

---

[14] KENNY, CHARLES E., *American Spanish Syntax,* second ed., The University of Chicago Press, Chicago, 1951.

[15] RESTREPO, ROBERTO, *Apuntaciones idiomáticas y correcciones de lenguaje,* Imprenta Nacional, Bogotá, 1955.

Uso independiente del gerundio

En los anuncios comerciales de la radio y la televisión se oye a veces un gerundio divorciado de sus auxiliares: "Usted llamando y 'X' llegando", sonsonete pegadizo, es cierto.

Emilio Lorenzo [16] señala la tendencia (en España) a desgajarse (el gerundio) y vivir independientemente de estar u otros auxiliares (tú divirtiéndote y yo trabajando) y la de actuar como complemento modal, de persona más que de verbo, en expresiones cuya estructura convendría examinar detenidamente (vosotros trabajando y nosotros vigilando mantendremos la paz).

Gerundio anfibológico

El abuso del gerundio es causa de frecuentes anfibologías:
"La biblioteca le ofreció un trabajo sencillo, ganando dos dólares menos."
"Le infirió una herida muriendo en el Hospital de Distrito."
En el último ejemplo el gerundio es, además de anfibológico, de posterioridad.

Gerundio de posterioridad

El gerundio simple es simultáneo. Expresa coincidencia temporal o anterioridad inmediata. Nunca expresa posterioridad respecto de la acción del verbo principal.

Esta suerte de gerundio es vicio de todo el mundo hispánico, aunque según dicen algunos autores es más frecuente en España.

En *Equivalencia temporal del gerundio* dice la Academia Mexicana (ponente Manuel González Montesinos) [17]:

"Es menester aclarar, ante todas cosas, que ese mal uso del gerundio no se ha reducido tan sólo a España, sino se ha extendido ya, por desgracia, a todas las naciones de habla

---

[16] *El español de hoy, lengua en ebullición,* ed. Gredos, Madrid, 1965.
[17] Tercer Congreso de Academias de la Lengua Colombiana, Bogotá, 1956.

castellana, pues los americanos, en verdad, tenemos, tanto como los españoles o más, vela en el entierro del alto, sonoro y significativo romance de Castilla."

Se refiere el ponente al empleo del gerundio para significar una acción posterior a la que expresa el verbo.

Y en *Unificación en el uso del gerundio,* dice la Academia Paraguaya (ponente Luis A. Lezcano) [17]: ¿Conviene dar entrada en América al uso frecuente en España del gerundio para significar acción posterior a la del verbo principal?"

Gerundios de Posterioridad (Puerto Rico)

"Pavimentó la Plaza de Armas, fabricando, frente a ella, la primera Casa Consistorial para el Cabildo." ("Pavimentó la Plaza de Armas y fabricó, frente a ella...")

"En 1933 era Jefe de Sección y Director de los cursos nocturnos, ascendiendo a catedrático auxiliar en 1936." (En 1933 era Jefe de Sección y ascendió a catedrático auxiliar en 1936.)

"Muchos puertorriqueños cursaron sus estudios de segunda enseñanza en el Instituto Civil, partiendo luego para Europa."

El adverbio de tiempo luego (después) que denota posterioridad de tiempo no corrige al mal, lo agrava.

ENTRE REFRANES ANDA EL JUEGO

REFRANES, MODISMOS, LOCUCIONES DE CONVERSAO EN EL BATEY

Si yo dijera que los aquí anotados son modismos o locuciones, diría bien, pues los más son modismos o locuciones; pero cuando uno menos se lo espera, salta un refrán o un proverbio, aquí y allá, con la salsa jíbara del buen humor. El refrán, arte y filosofía del sentido común, o, como dice Cervantes, "sentencia corta fundada en una larga experiencia", es casi siempre un modo particular de hablar propio y privativo de una lengua, que se suele apartar en algo de las reglas generales de la gramática: un modo de hablar, un modismo.

Pero si dijera que todos los aquí anotados son modismos puertorriqueños, diría mal, porque algunos son de rancia estirpe castellana.

Los modismos surgen espontáneamente en las más apartadas regiones, como si la lengua general estuviera encinta de ellos. Y nos parecen privativos de un país los que han nacido ha muchos siglos en lejanas regiones. Juan B. Selva, por ejemplo, incluye en los modismos argentinos un refrán que está en *La Dorotea*, si no recuerdo mal: "Vieja que baila, gran polvo levanta."

Incluye también como modismos argentinos algunos que teníamos por puertorriqueños. Por ejemplo: *Al que nace barrigón, es el ñudo que lo fajen,* que aquí decimos: *Al que nace brrigón, aunque lo fajen. A toda orquesta,* que aquí decimos *a to meter, a to volumen. Cambiar el disco.* Aquí decimos también que alguien tiene el *disco rallado* cuando habla sin coherencia. *Es una hipoteca,* que aquí también decimos de las personas que resultan una carga onerosa. *Más aceite da un ladrillo,* que aquí también decimos con otras variantes.

Sépase que no he agotado las frases, refranes y locuciones que brillan en *Conversao en el batey* como gemas de nuestra sabiduría popular. En casi todas las frases es de notarse el ingenio, la socarronería y el buen humor del pueblo, que constantemente transforma lo ya dicho para acomodarlo a su picardía. El pueblo casi nunca ensaya metáforas poéticas *ad usum;* las prefiere picarescas y socarronas, como ese *limpiar el pico,* que es eufemismo lleno de picardía.

Como los escritores de mucho ingenio, el pueblo huye de las frases gastadas. En vez de decir *a la fuerza,* decía antes "contra viento y marea". Ahora dice con más socarronería: "A la cañona."

Conversao en el batey, del donoso escritor Ernesto Juan Fonfrías, que, dicho sea de paso, me hace la competencia en eso de cazar modismos y locuciones, es fuente inagotable de esas riquísimas joyas que el pueblo ofrece a los doctos para engalanar sus escritos.

La interesante obra de Fonfrías es valioso caudal de vocablos jíbaros, arcaísmos, indigenismos, algunos africanismos, muchos puertorriqueñismos y toda la gama de las variantes fonéticas del castellano antiguo y las peculiares del español de América: aquí, el seseo; allá, el relajamiento de la *d* intervocálica; acullá, el yeísmo, y en gran abundancia, señales de la palatización de la *n,* aspiración de la *h* y de la *s,* confusión entre *r* y *l,* vocalización de la *r* intervocálica, pronunciación de la *v* con sonido labiodental, que, a pesar de no ser sonido propiamente castellano, se pronuncia en América, Cataluña, Valencia, Galicia, Andalucía, etc.

Conversao en el batey es rico en esos metaplasmos que le costaron duras reprimendas a Sancho, prevaricador de voquibles: -a protética: arrecuéldese, arresulta. -d protética: dir. Epéntesis: gurupa. Paragoge: asina, ansina. Aféresis: esplumal. Síncopa: Bruquena, rumatismo, honramente, jimiquiar. Apócope: May 'madre', pay 'padre', comay 'comadre', na 'nada'. Metátesis: Probe. Esta anticipación de la *r* se encuentra con frecuencia en Sancho.

"Y de mí—dijo Sancho—que también dicen que soy yo uno de los principales presonajes della.

"Personajes, que no presonajes, Sancho amigo", dijo Sansón.

REFRANES, MODISMOS, LOCUCIONES DE *CONVERSAO EN EL BATEY*

(Ernesto Juan Fonfrías, *Club de la Prensa*, 1956)

1. *Te gusta más meter la cuchara en lo ajeno que al puerco el josico en agua de sancocho* (pág. 158).
   Te gusta meterte en lo que no te importa.

2. *Vino por arrimá y quiere salil pol dueña* (pág. 158).
   Le dieron la mano y quiso tomarse el codo.

3. *Limpiarle a uno el pico* (pág. 161).
   Mandar al hoyo.

4. *Comer jiguillo* (pág. 162).
   Pelar la pava.

5. *De tal palo tal jataca* (págs. 180, 183).
   De tal palo tal astilla.

6. *Calma, piojo, que el peine llega* (pág. 180).
   Paciencia, que todo se andará.

7. *Más empaquetao que un andullo* (pág. 181).
   Más empaquetao que un guanime.
   Aquí el jíbaro combina dos acepciones del participio adjetivo empaquetado. Empaquetar vale formar paquetes y emperejilar. Empaquetado se aplica a las personas que por mal emperejiladas o emperifolladas parecen paquetes mal hechos.

ANDULLO. m. Tamarindo maduro, sin la cáscara, envuelto en hojas secas de plátano (Malaret).

GUANIME. m. Panecillo de harina de maíz salcochado, envuelto en hojas de plátano.

8. *Más presentado que el arroz blanco* (pág. 215).
   Tiene más humos que la leña verde.
   Más conocido que el atole blanco.
   Más presentado que un caculo social.

9. *Más largo que la esperanza de un pobre* (pág. 215).
   Más largo que una cuaresma.
   Más largo que el no tener.
   Más largo que la voluntad del Señor.
   Más largo que una noche de invierno.

10. *Llenar el coco de espuma* (pág. 223).
    Llegar al colmo.
    Dar o prometer a uno lo que más desea.

11. *Sacar el gato del fogón* (pág. 224).
    Salir de mal año.

12. *Pa un jíbaro, otro, y pa dos, el diablo* (pág. 230).
    A zorro, zorro y medio.

13. *Pelea monga* (pág. 236).
    Es una manera de conseguir lo que se desea, con astucia y sin prisa.

14. *Estirarla.*
    Estirar la pata.
    Estirar la jeta.
       Pero ya hice la obra santa
       De hacerlo estirar la jeta.
                MARTÍN FIERRO.
    Palmarla (Madrid).

15. *Entorchó la puerca el rabo.*
    Aquí torció la puerca el rabo (Panamá).
    Aquí empezaron las dificultades.

16. *Irse como el pan caliente* (pág. 124).
    Se dice que se va como el pan caliente lo que se vende mucho.

17. *Darse el palo* (pág. 135).
    Echarse un trago; o, como dicen los argentinos,
    echarse un taco.
    Copear (Madrid).

18. *Liar la mercancía pa el otro barrio* (pág. 138).
    Estirar la pata.

19. *Estar como guanábana madura* (págs. 139, 147).
    Estar en su punto, en sazón.

20. *No lo salva ni el guaco* (pág. 139).
    Se atribuyen al guaco *(Micania guaco)* virtudes ma-
    ravillosas.
    No lo salva ni su padre.

21. *Meter los mochos* (pág. 146).
    Amedrentar, intimidar, aterrorizar.
    Meter las cabras en el corral.
    Meter el coco.

22. *Armarse un sal pa fuera* (pág. 146).
    Armarse la de San Quintín.
    Armarse un titingó, la de apaga y vámonos.
    Armar batuque (Argentina).

23. *Sacar el cuerpo* (pág. 146).
    Hurtar el cuerpo.
    Huir, temer (también en Argentina).

24. *Más pelao que una tusa* (pág. 147).
    Más pelado que un huevo.
    Más pobre que un fraile descalzo.

25. *Más jendío que pesuña e cabra* (pág. 147).
    Más borracho que Baco.

26. *Más guayao que un guayo* (rallo).
    Más borracho que Baco.

27. *Más prendío que un quinqué (de pobre)* (pág. 148).
    Más borracho que Baco.

28. *Echar un fajazo* (pág. 148).
    Dar un sablazo.

29. *Volar bajito* (pág. 148).
     Conducir un automóvil a mucha velocidad.

30. *Tener los sesos aguados.*
     Tener los tornillos flojos.
     Faltarle un tornillo.

31 *Volarle la pollona* (pág 150).
     Levantarle la hembra.
     Pisarle la novia (España).

32. *Tener la mancha del plátano.*
     Dícese del acriollado.

33. *Es de capa y tripa del país* (pág. 154).
     De buena cepa.

34. *No se bebe un agua de soda ni de ñapa por no botar los gases* (pág. 110).
     No come tamales por no tirar las hojas (Méjico).
     No come plátano por no tirar las cáscaras.

35. *Levantar cabeza* (pág. 115).
     Salir de mal año.

36. *Se está acabando como cabo de vela* (pág. 116).
     Dícese de lo que se consume lentamente.

37. *Lo que no va en lágrimas va en suspiros* (pág. 117).
     Lo que no se gasta en lágrimas suele gastarse en suspiros (Méjico).

38. *Está más pelao que un forro de catre* (pág. 116).
     Más pelado que un huevo.
     También se dice "estar arrancado o bruja".

40. *Con la boca es un mamey* (pág. 117).
     Del dicho al hecho hay un gran trecho.

41. *Cógeme esa puerca por el rabo* (pág. 117).
     ¡Agárrame ésa!

42. *Cogerle miedo al bulto.*
     Cogerle miedo a las dificultades de una empresa.
     Escurrir el bulto.

43. *Apechugue y pa encima* (pág. 117).
    Haga de tripas corazón.

44. *Hacerse el pescado frito.*
    Hacerse el mosca muerta.
    Hacerse el chango rengo, dicen los gauchos.

45. *No soltarle ni pie ni pisá* (pág. 112).
    Seguirlo a todas partes.
    Convertirse en su sombra.

46. *Se las echa de gallo viejo que todavía da buen caldo*
    (pág. 104).
    Presume de joven.

47. *Entrar al yugo* (pág. 105).
    Casarse.
    Ahorcarse.

48. *No había nasio pa echal raise en un mesmo soberao*
    (pág. 105).
    No había nacido para casado.

49. *Está más cerrado que un tubo de radio* (pág. 106).
    Tubo de radio es lo mismo que válvula de radio.
    Más cerrero que un mulo.
    Más cerrado que pata de mulo.
    Más cerrado que un cerrojo.

50. *Coger a uno de mangó bajito* (pág. 106).
    Coger a uno de mingo, de bobo, de tonto.

51. *Nunca ha dado un tajo* (pág. 107).
    Nunca ha trabajado.
    Nunca ha metido el hombro. Nunca ha dado un
    golpe.

52. *Es vago de nasión* (pág. 110).
    Nació cansado.
    Es vago de naturaleza.
    Más vago que la chaqueta de un guarda.

53. *Como yuca pa mi guayo (rallo).*
    Como peras en tabaque.
    Como anillo al dedo.

54. *Hoy no se fía; mañana, sí. El que fiaba se murió* (página 110).
Lo fiado es pariente de lo dado (Méjico).

55. *De cachete* (pág. 110).
De balde, de mogollón.

56. *No vela el guardia ni tira piedras en el río* (pág. 110).
No rompe un plato.
No mata una mosca.

57. *Dios aprieta, pero no ajoga* (pág. 110).
Dios es misericordioso.

58. *Se acabó la fiesta como el rosario de la aurora* (página 28).
Se acabó como el rosario de Amozoc (Méjico).
A farolazos.

59. *Diente de perro.*
Dícese del que no tiene habilidad para hacer una cosa.
Abogado diente de perro (leguleyo).
Orador diente de perro.
También se usa la expresión: abogado trompito.

60. *Meter el pie en el bote* (pág. 41).
Meterse en apreturas.
Meterse de hoz y de coz.
Meterse de patitas en una cosa.

61. *Achicarse a buen vivir* (pág. 42).
Recoger velas. Vivir como Dios manda.
Recogerse a buen vivir.
Anclar.

62. *Formarse la de apaga y vámonos* (pág. 59).
La de San Quintín.

63. *Esculcar yaguas viejas* (pág. 67).
El que esculca yaguas viejas siempre encuentra cucarachas.
Peor es meneallo.

64. *De cualquier maya sale un ratón* (pág. 67).
Donde menos se piensa salta la liebre.

65. *Cantarle a uno los turpiales.*
Estar en apreturas.

66. *Tirarse (dispararse) una maroma* (pág. 83).
Meterse en apreturas.

67. *Estar hecho un ají bravo* (pág. 83).
Más furioso que una hiena.

68. *Ratón que corre ligero, patina en llegando a la cueva* (pág. 84).
Quien mucho corre pronto para.
No por mucho madrugar amanece más temprano.

69. *Meter las cabras en el corral* (pág. 85).
En P. R. vale engañar, sorprender, embaucar, chasquear, asombrar.
Familiar y metafóricamente, lograr, conseguir alguna cosa.
RAMÓN CABALLERO: *Diccionario de Modismos.*

70. *No es lo mismo llamar al diablo que verlo venir* (página 85).
No es lo mismo ver llover que estar en el aguacero.
No es pintar como querer.
No es lo mismo hablar de toros que estar en el redondel.
No es lo mismo torear que ver los toros desde la barrera.

71. *Hablar más que una lavandera sin tabaco* (pág. 93).
Hablar más que una portera.
Hablar sin ton ni son.

72. *Echar un fufú (un brujo)* (pág. 93).
Echar un hechizo.
Echar mal de ojo.

73. *Estar a chorro* (pág. 93).
Tener diarrea.

74. *Más feo que un pleito de menores.*
Más feo que el no tener.
Más feo que Picio.
Más feo que una noche de truenos.

Más feo que un dolor a media noche.
Más feo que un ¡voto a Dios!

75. *Más metio que el soco del medio* (pág. 239).
Borracho.
Soco. m. Tocón. Madero que sirve de base al bohío (zoco).

76. *Botar la bola. Botar la pelota* (pág. 255).
Meter la pata. Hablar con indiscreción o fuera de tono.

77. *Más viejo que el frío.*
Más viejo que el andar a pie.
Más viejo que el andar a gatas.
Más viejo que Matusalén.

78. *Por ahi me las den todas.*
Ahí me las den todas.

79. *Le dan a uno un jeme y cogen el pie* (pág. 158).
Le dan el pie y se toma la mano.

80. *A to fuete (a to meter, a todo lo que da)* (pág. 159).
Rápidamente.

81. *Cambiar pesos por morisquetas* (pág. 159).
Cambiar "chinas" por botellas.

82. *Sin na ni na* (pág. 163).
Por dame acá esas pajas.

83. *Está que prende de un maniguetazo* (pág. 175).
Está que echa chispas. Está como aguaipara chocolate.
Está que muerde.

84. *Tener más golpes que un baile de bomba* (pág. 180).
Tener muchos recursos. Dícese del que contesta siempre con palabras oportunas y donairosas.
Tener para cada agujero un remiendo (Méjico).

85. *Tirarse del catre* (pág. 203).
Abandonar el lecho.
Tirarse del palo, como las gallinas.

86. *Darle culillo o culilla* (pág. 207).
    Acobardarse.
    Achantarse.

87. *Ajorar la yegüita* (pág. 208).
    Dar prisa.
    Achuchar.

88. *Formarse una guasáraba* (pág. 215).
    Armarse la de San Quintín.

89. *Volverse una mogolla* (pág. 215).
    Volverse una jiribilla. Confundirse, turbarse.

90. *Dar cabuya* (pág. 235).
    Dar cordel.

91. *Más picado que un metro de piedra* (pág. 239).
    Más guayao que un guayo. Más borracho que Baco.

92. *Más alumbrao que un quinqué en velorio de pobre* (página 239).
    Más borracho que Baco.

93. *Más ajumao que una cocina de paja* (pág. 239).
    Ajumao, picado, metido, alumbrao, rajao, son sinónimos de borracho. Puntiao, dicen los gauchos.

94. *Estar hecho leña* (pág. 248).
    Estar hecho polvo.
    Estar enfermo o avejentado.

95. *Mover mucho la sin güeso.*
    Hablar. Hablar mucho.
    Hablar sin ton ni son.
    Chismear.

96. *Más guapo que el caja del barrio.*
    Caja está usado aquí por perdonavidas, que es una de las acepciones de guapo o guapetón.
    Quizá se use esta acepción puertorriqueña de *caja* por una lejana o vaga analogía con la fr. fig. fam. Echar a uno con cajas destempladas (echarle de alguna parte con grande aspereza y enojo).

97. *No ser un múcaro* (ave nocturna, especie de mochuelo) (página 38).
No ser noctívago.

98. *Tener juipipio en la sesera* (pág. 43).
Tener la cabeza llena de chorlitos.
Tener la cabeza a pájaros.

99. *Venir de jurutungo* (lugar lejano, quimbámbaras, quimbambas).
"Bueno, bino de jurutungo, y con él se ejcocotó la desensia."

100. *Estar hecho una jiribilla.*
Estar inquieto, nervioso, azogado.

101. *Menear el rabo* (pág. 98).
Hacer arrumacos. Coquetear.

102. *Más maceta que una macana de guardia* (pág. 99).
Dícese del avaro.
Maceta vale duro, tacaño.

104. *Chotear.*
Embromar, tomar el pelo.
"A mí no me chotea nadien" (pág. 113).

105. *Venirle a uno con julepes* (pág. 113).
Venirle a uno con patrañas Venirle a uno con brincos.

106. *Meter los mochos* (pág. 159).
Amedrentar, bravear.

107. *Mientras más jinchao, mejor para curar* (pág. 125).

108. *No estar para comer jiguillo* (pág. 175).
No estar para bromas.
No estar con sus alfileres.
No estar de gracia.
No estar para fiestas.

RELACIONADOS CON CULTIVOS O COSECHAS

109. *Hay que sembral el maíz en menguante* (pág. 56).

110. *Arbol podao en creciente, de él mil hojaj esperej* (página 189).

111. *Albol coltao en menguante te drá fruto conjtante* (página 189).

112. *Siembra la batata en crú*
bajo el cielo estrellao
y tendrá siento un almú (pág 190).

113. *Nube colorá o plomisa,*
llubia e tolmenta besina.

114. *La nube blanca o redonda*
un tiempo bueno que asombra.

115. *Nube pequeñita y lalga,*
la bonansa que no talda.

116. *A la nube palda teme*
que con tiempo malo biene (pág. 190).

Los mejicanos dicen con la misma sabiduría popular:

> Neblina en el cerro, seguro aguacero.
> Neblina en el llano, seguro verano.

Los lectores encontrarán aquí, quizá con cierta sorpresa, "algunos refranes y frases proverbiales y otras fórmulas comunes de la lengua castellana, en que van todos los impresos antes, y otra gran copia que juntó el MAESTRO GONZALO CORREAS, Catedrático de Griego y Hebreo en la Universidad de Salamanca", y quizá, con más sorpresa, "los refranes que dicen las viejas tras el fuego, ordenados por Iñigo López de Mendoca, a ruego del Rey Don Johan, empremidos en la muy noble e muy leal cibdat de Sevilla por Jacobo Cromberger, alemán, año de mil é quinientos é ocho años: a tres días del mes de noviembre".

APUNTES SOBRE EL ESPAÑOL DE MADRID, BOGOTA Y SAN JUAN

APUNTES SOBRE EL ESPAÑOL DE MADRID, BOGOTA Y SAN JUAN DE PUERTO RICO *

Madrid	Bogotá	San Juan
friolero	friolento	friolento
derribo	demolición	demolición
desnudarse	desvestirse	desvestirse
sacarse (la cha-queta)	quitarse (el saco)	quitarse (el gabán)
estar chalao	chiflao	chiflado
me lo quedo	me quedo con él	me quedo con él
se precisa	se necesita	se necesita
plátano	banano	guineo
	plátano	plátano
judías	fríjoles	habichuelas
judías verdes	habichuelas	habichuelas tiernas
cámara	neumático	tubo, neumático
matrícula	placa	tablilla, licencia
plaza (en un ve-hículo)	cupo, puesto, asiento	asiento
azafata	cabinera	moza, azafata

* Las columnas que codresponden a los usos en Madrid y Bogotá figuran en *Apuntes sobre el español de Madrid*, 1965, del filólogo colombiano Luis Flórez.

Madrid	Bogotá	San Juan
viajante de comercio	agente viajero	viajante
belén	pesebre	nacimiento
altavoz	parlante	alto parlante
estar para el arrastre	mal de salud	mal de salud, jalao, hecho leña.
quédeselo	quédese con él	quédese con él, cójalo
enfadarse	disgustarse, ponerse bravo	disgustarse, enfadarse, ponerse bravo, empantalonarse, enfuncharse
cubo de basura	caneta	zafacón
limpieza en seco	lavado en seco	dry cleaning lavado en seco
chaqueta, americana	saco	gabán, saco, chaqueta
billete	boleta	boleto, ticket
servicio de incendios	estación de bomberos	parque de bombas
alianza	argolla (sortija)	sortija de compromiso
el aspirador	la aspiradora	vacuum cleaner aspiradora
autobús	bus	guagua
farmacia de guardia	droguería de turno	farmacia de turno
muchacha (criada)	muchacha	criada, sirvienta, empleada, muchacha
zumo de naranja	jugo	jugo de china
café solo, corto	tinto	negro, prieto
café con leche, corto	perico	café con leche término
café con leche, largo	café con leche	café con leche blanco
pastel	bizcocho	bizcocho
jersey	suéter	suéter

Madrid	Bogotá	San Juan
bragas	pantalones de mujer	pantalones de mujer
tejidos	telas	telas
conferencia	llamada a (o de) larga distancia	llamada, etc.
patio	luneta	luneta
multicopista	mimeógrafo	mimeógrafo
fontanería	plomería	plomería
fontanero	plomero	plomero
el modista	el modisto	el modisto
gasolinera	bomba	bomba de gasolina
frigorífico	nevera	nevera
refrigeración	aire acondicionado	aire acondicionado
despacho de pan	venta de pan	venta de pan
fábrica de pan	panadería	panadería
piso	apartamento	apartamento
Trago de whisky medio, completo	sencillo, doble	sencillo, doble
recambio(s)	repuesto(s)	repuesto(s)
fiambrera	portacomidas	fiambrera
parrilla	grill	parrilla
pensionista	comensales	pensionista
alfombra	tapete	alfombra
bañera	tina	bañera, baño
militar en traje de paisano	militar en traje de civil	militar en traje de civil (o de paisano)
estación de servicio	estación de servicio	estación de servicio
farmacia	droguería	farmacia
cambio, vuelta	vueltas	cambio, vuelta
camarero, mozo	mesero	camarero, mozo
merienda	onces	merienda
bebida fría	helada	fría
avería	avería	avería
cabida, sitio	cupo	cabida, sitio
el despegue (de un avión)	el despegue	el despegue
labradores	labradores	agricultores
césped	prado	césped, grama
rosario	camándula	rosario

Madrid	Bogotá	San Juan
mudanzas	trasteos	mudanzas
cine	teatro	cine
¿quiere café?	¿le provoca tinto?	¿quiere café?
limpiar (el calzado)	embolar	limpiar
¿limpiamos?	¿se embola?	¿limpia?
volver la cabeza	voltear	volver
despegar (un avión)	decolar	despegar
cobro 3.000 pesetas	gano, me pagan	gano, me pagan
se me estropeó la radio	se me dañó el radio	se me dañó el radio
mañana libro	mañana tengo día libre	mañana tengo día libre
me giró una visita	me hizo	me hizo
tire por ahí, tire a la derecha, ¿para dónde quiere que tire?	diríjase	diríjase
dinero	plata	dinero, plata
ladera	falda, pendiente	falda, jalda, ladera, pendiente
dentadura postiza	caja	dentadura postiza, caja
beber	tomar	tomar, beber
hacer la cama	arreglarla, tenderla	hacer la cama, arreglarla, tenderla
registrar	esculcar	registrar. Sólo se usa esculcar en la fr. "el que esculca yaguas viejas, siempre encuentra cucarachas".
tardardarse	demorarse	tardarse, demorarse.
me va (un alimento)	me gusta me sienta bien	me gusta, me cae bien

Madrid	Bogotá	San Juan
tirando, tirandillo	tirando (en respuesta a la pregunta: ¿cómo le va?)	ahí tirando, como cuando usted era pobre
patatas	papas	papas
discos	semáforo	semáforo
cierre despacio (en taxis)	cierre con cuidado	cierre con cuidado, cierre despacio
reactor	jet	jet
billete	pasaje, tiquete	pasaje
hacer (una foto)	tomar	tomar
carrete	rollo (en fotografía)	rollo
pantano	represa	represa
delegación	sucursal, agencia	sucursal, agencia
óptico	optómetra	optómetra
cubo	balde	cubo, balde
traje	vestido	traje, vestido
calcetines	medias para hombre	calcetines, medias
guardia	policía	policía, guardia
pensionado	internado	pensionado, internado
servicio, W. C., retrete, escusado	baño, inodoro sanitario.	inodoro, baño, servicio sanitario, servicio
objetos de piel	objetos de cuero	objetos de piel
coche	carro	carro, automóvil
conducir	manejar	manejar, conducir, guiar
constipado	catarro, gripe	catarro, constipado, gripe
rueda	llanta	rueda, llanta
tiendas	almacenes, tiendas	tiendas, almacenes
anuncios	avisos	anuncios, avisos
escaparate	vitrina	vitrina, escaparate
ocasión, oportunidad	ganga, chisga	ocasión, oportunidades, ganga, baratillo
solar	lote	solar, lote

Madrid	Bogotá	San Juan
sanatorio	clínica	clínica, sanatorio
alquitrán, brea	asfalto, neme	brea, asfalto, alquitrán
aparcar	parquear	parquear, estacionar, aparcar
pase	siga	pase, siga
apresúrese	apúrele	apresúrese, apúrese
enseñar (un objeto)	mostrar	enseñar, mostrar

EL ESPAÑOL EN PUERTO RICO Y LA *ESTAFETA LITERARIA*, DE MADRID

EL ESPAÑOL EN PUERTO RICO Y LA *ESTAFETA LITERARIA*, DE MADRID

I

En Junta del 26 de noviembre de 1968 la Academia de Artes y Ciencias de Puerto Rico le encomendó al autor la redacción de una nota de protesta por el artículo "El español en Puerto Rico", que aparece en la sección de noticias de la *Estafeta Literaria*, de Madrid, del 16 de octubre (núm. 406, pág. 12).

La *Estafeta*, tergiversando el sentido de mi ensayo *Lenguaje de Germanía en Puerto Rico*, saca del texto un diálogo de germanía, esto es, de rufianes, hampones, heroinómanos y adictos a la marihuana y le pone título no sé si distraído o capcioso: "El español en Puerto Rico". No se le puede escapar a esta magnífica publicación española que el lenguaje de germanía está hecho sin orden ni concierto y sólo para despistar a la Policía. La *Estafeta*, pues, interpreta con error y de paso deja torcida la verdad lingüística.

Con lo ya dicho basta para fundamentar la protesta de la Academia de Artes y Ciencias de Puerto Rico, pero como tengo por buena sentencia que lo que abunda no daña, me parece oportuno citar aquí algunos pasajes del ensayo *Lenguaje de Germanía en Puerto Rico*, que se publicó por primera vez en la revista del Instituto de Cultura Puertorriqueña y recientemente en el *Boletín de la Academia de Artes y Ciencias de Puerto Rico*.

Es de notarse que el título de este ensayo ha sido incluido en la obra *Contribución a una Bibliografía de Dialectología española y especialmente hispanoamericana,* de María R. Avellaneda, Norma Buccianti, Edda Lekker de Prats, Jorge Prats y Juana V. Rodas, publicada en el *Boletín de la Real Academia Española.*

Encarrilado ya mi propósito, digo que eso· que don Pedro M. Benvenutto Murrieta llama un arroyo sucio y magro (el lenguaje de germanía) es en realidad sargazo putrefacto que dejan en la playa las olas del idioma. En España lo llaman ahora caló; en Francia, argot; en Argentina, lunfardo; a orillas del Plata, cocoliche, y en Inglaterra, cockney.

Germanía (del latín germanus, hermano) es jerga y manera de hablar de ladrones y rufianes, que usaban ellos solos y compuesta de voces del idioma español con significación distinta de la genuina y verdadera, y de otros muchos vocablos de orígenes muy diversos (Academia).

Con un poco más de gracia define el término don Sebastián de Covarrubias: "Es un cierto lenguaje particular de que usan los ciegos con que se entienden entre sí. Lo mismo tienen los gitanos, y también forman lengua los rufianes y los ladrones, que llaman germanía."

Lo que deja mal parado a los ciegos, que no todos son ciegos de oficio en liga y monipodio con rufianes y ladrones.

Sería echar las cosas a mala parte decir que el lenguaje de germanía que con tanto acierto recoge la Real Academia Española para que podamos entender la literatura picaresca es el lenguaje de España, y lo sería aún en mayor grado afirmar que el caló de los gitanos y de los chulos madrileños es el español de Castilla.

II

Y no menos injusto y malicioso sería darle título de "El español de España" al siguiente pasaje de Angel Rosemblat *(Conferencia sobre la enseñanza de la lengua,* editorial Departamento de Instrucción Pública-Estado Libre Asociado de Puerto Rico, 1965):

"El turista español que recorre Hispanoamérica no sabe por lo común que la chulería madrileña tiene, desde siempre, su habla especial. La nueva juventud, frecuentemente rebelde, con o sin causa *(sic)* también aspira a tener su propia habla...

—¿Quemasteis mucho caucho?

—Coronamos perdices a ciento veinte.

—¡Huy, qué piratas!

—Sorpréndame con un vidrio.

—Castígame la Pepsi con yin.

—Insístame en oro líquido con burbujas.

—Ponme fumando.

—Incinérame el cilindrín.

—Estás canuto con ese traje marengo.

—Está maizal, Chami.

Federico Cammarota recoge en su *Vocabulario familiar y del Lunfardo* curiosos lunfardismos:

> *Hoy todo se ha ido. Las grelas son grilas,*
> *las púas, froilanos que yiran de atrapa,*
> *la marsa, chitrulos, mangueros de gilas...*
> *los guapos de pogru la copan de yapa.*

(CARLOS DE LA PÚA.)

Tengo para mí que el distraído redactor de la sección de noticias de la *Estafeta* les pondría a estos versos título desconcertado: *El español en Argentina.*

Debe decirse aquí porque es éste su lugar, que la germanía guayaquileña tiene no pocos vocablos en común con la puertorriqueña: *chicharra* (colilla de un cigarrilla de marihuana), *vacilar* (molestar, jorobar y a veces enamorar), chota, pana (corrupción del vocablo inglés *partner),* gumarra (gallina en la germanía española y en Guayaquil; mujer pública en Puerto Rico), levante, man, etc. Sin embargo, la germanía puertorriqueña no frecuenta algunas voces deformadas del hampa guayaquileña: chuzo (zapato), que también se usa en Perú; jafanajafana (mitad por mitad, del inglés *half and half),* etc. (V. *El hampa guayaquileña,* de Justino Cornejo).

La *Estafeta Literaria,* de Madrid, pues, nos ha hecho un regalo griego en memorable fecha. Es cosa bien sabida que en octubre se celebra en España y en todos los pueblos hispanoamericanos el Día de la Hispanidad. Así no se estrechan las relaciones entre los pueblos...

Justo es, pues, que confrontemos la tergiversación de la *Estafeta* con razones no torcidas:

"Méjico septentrional, Cuba, Panamá, Venezuela, acusan fuertemente el impacto lingüístico norteamericano. En cambio, Puerto Rico, tan vinculado a los U. S. A., defiende briosamente su patrimonio lingüístico castellano" *(Papeles de San Armadans,* tomo XIX, núm. LVI, 1962, M. Sanchis Guarner).

* * *

"Puerto Rico es un ejemplo de estabilidad... Debiera enviarse una comisión a Puerto Rico para que estudiase el modo cómo logró aquella tierra conservar lo que vamos perdiendo rápidamente" (Carlos P. Rómulo, Secretario de Educación, República de Filipinas).

III

"Caso diametralmente opuesto al de las Islas Filipinas es el de Puerto Rico, la hermosa isla que, aun incorporada en la Unión Americana como Estado asociado, ha sabido conservar intacta su lengua ancestral" (P. Félix Restrepo).

* * *

"El habla usual de sus habitantes no discrepa en nada importante de las que pueden oírse en cualquier otro país" (Samuel Gil Gaya).

El IV Congreso de Academias de la Lengua, celebrado en Buenos Aires en 1964, aprobó la siguiente resolución:

EL ESPAÑOL EN PUERTO RICO

"El uso como lengua oficial y vernácula del español en Puerto Rico, la defensa para la conservación y difusión de esa lengua, la vivencia culta de dicho idioma en Puerto Rico y fuera de él como expresión legítima de su origen hispánico, sin que sea obstáculo para que en su quehacer use e intensifique la enseñanza y el empleo de cualquier otro idioma útil y necesario a su vida y progreso, todo eso, entre otras razones, mantiene viva la fe de los hombres del mundo hispano en la inmortalidad de la lengua madre. Dadas esas consideraciones, el IV Congreso de Academias extiende un saludo de reconocimiento a Puerto Rico y hace pública expresión de su júbilo."

Nota.—El R. P. Félix Restrepo, S. J. (entonces director de la Academia Colombiana de la Lengua), dice también en el discurso en la inauguración del Seminario Andrés Bello, en Bogotá, el 8 de agosto de 1958:

"Claro es que también en Puerto Rico existe y mayor que en otras repúblicas, el peligro de infiltración de la lengua inglesa, o mejor de la variante inglesa que se habla en Norteamérica. Pero pocos pueblos tan diligentes para conjurarlo. No solamente los eruditos, también los hijos del pueblo sienten el orgullo del espíritu español y defienden su idioma.

"Lo recordaba así el distinguido académico Washington Lloréns en las jornadas de Madrid.

"No sólo—decía—amamos nuestro idioma vernáculo con religioso respeto, lo defendemos también con española tenacidad. Y son nuestros hombres humildes los que dan la voz de alarma en la Página del Lector de nuestros diarios cada vez que algún docto comete deliberado barbarismo, ya con la vana esperanza de hacernos olvidar nuestro origen, ora para demostrar su inmensa sabiduría." R. P. Félix Restrepo. *Memoria...*, pág. 63 *(Boletín de la Academia Colombiana de la Lengua,* octubre, noviembre y diciembre de 1958, tomo VIII, núm. 20).

TRANSCULTURACION EN PUERTO RICO

I

El señor Eladio Rodríguez Otero, Presidente del Ateneo Puertorriqueño, me envió recientemente "a nombre de la Junta de Gobierno del Ateneo", un ejemplar del libro escrito por el Profesor español Germán de Granda Gutiérrez y publicado en Bogotá por el reputado Instituto Caro y Cuervo bajo el título *Transculturción a interferencia lingüística en el Puerto Rico contemporáneo (1898-1968)*, Bogotá, 1968.

La intención de nuestro Ateneo es muy de agradecer. Pero es para lamentar el flaco servicio que el profesor Germán de Granda le ha hecho a Puerto Rico, pues el libro, que tiene título prometedor y evidentes intenciones políticas, no nos deja hueso sano. No es para dar gracias ni batir palmas, pues no hay de qué. Con todo, no pocos incautos creen en sus infundios como en artículo de fe.

Como el villano de las películas norteamericanas, el Puerto Rico del autor es tan malo, que no hay por dónde cogerlo. Pero es de suponerse que si al distinguido profesor le da por ponderarnos la cosa hubiera sido peor. De buena hemos escapado.

La obra del profesor español, que está bien escrita, en mi opinión sería útil si encubriera más lo político.

Resumiendo: el profesor Germán de Granda Gutiérrez escribió un libro de ataques a Puerto Rico y de sorprendentes tramoyas, con algunas verdades, las más tergiversadas y acomodadas a su propósito. Deja a Puerto Rico hecho una lástima. Como dicen en mi pueblo, bueno es el culantro, pero no tanto; y en la tierra del autor: ni tanto ni tan calvo. Es cosa bien sabida que los pueblos, como los hombres, son de oro y alquimia, unos con más oro y otros con más alquimia. Pero a lo mejor el autor de la Transculturación piensa que lo bueno es empalagoso y la virtud casera, y no se prestan para "epatar" al buen burgués. O pudiera ser que no tiene hilo de oro para caminar por laberintos de odios y de falsas propagandas.

No tomo cólera ni enojo. Me interesa poner las cosas en su punto, pero antes le digo al señor Germán de Granda Gutiérrez con palabras de Rubén Darío (a Unamuno se las dijo): "Mas yo quisiera también de su parte alguna palabra de benevolencia para (nuestro) propósito de cultura (puertorriqueña)."

Es de suponerse que el autor sólo vio a Puerto Rico por un agujero. Con todo, tiempo de sobra tuvo para que no se le escaparan sobresalientes virtudes de nuestro pueblo, que bien a la vista están.

¿Por qué trata de desmerecer uno de nuestros más grandes logros? Veamos: "Por lo que llevamos expuesto se ve que la decisión de usar el español en la docencia puertorriqueña es, por la índole misma (interna y administrativa) de la disposición en que se basa, fundamentalmente interina y provisional, pudiendo ser derogada, del mismo modo que se dictó, por simple circular en sentido contrario."

Veinte años lleva ya de vigencia la "simple circular" administrativa. ¿Cuántas leyes y solemnes tratados han logrado tan larga vida? Pues se ha dicho que las lenguas siempre siguen al imperio, ¿no le parece al autor que en este caso el conquistador ha sido conquistado?

Por si nos habíamos echado alguna cuenta galana dice el autor: "... la educación administrada en español se identifica con el más bajo escalón de la eficacia y de la excelencia".

Admito que la enseñanza "administrada en español" ha sido ya buena, ya mala..., pero no tanto.

Con razones más concertadas y más sosegado juicio dice don Jaime Benítez, Presidente de la Universidad de Puerto Rico: "... desde hace veinte años es principio establecido a través de todo el programa docente de Puerto Rico que la educación se lleve a cabo en la lengua materna. El español es el idioma de los puertorriqueños... Y continuará siéndolo para siempre, porque es el idioma de toda la comunidad..." (A B C, Madrid, 12 de diciembre de 1968).

Tengo para mí que un pueblo que decreta el uso de la

lengua vernácula en todos los niveles de enseñanza y relega el idioma de la "Metrópoli" a mera asignatura antes merece grandes elogios que censuras.

Y no sólo eso. Cuando el Congreso filipino discutió el Proyecto de Ley número 3.635 (más tarde conocido como Ley Cuenco) para elevar a 24 unidades (trescientas ochenta y cuatro horas de clase) la enseñanza del español en las Facultades de Derecho, Artes Liberales, Educación, Comercio y Diplomacia, el mensaje de Puerto Rico "fue uno de los que produjeron una impresión más viva". Véase lo que dice sobre este mensaje don Blas Piñar López, entonces Director del Instituto de Cultura Hispánica (Madrid):

"De esos mensajes, los que sin duda produjeron una impresión más viva fueron el enviado por los delegados permanentes y los miembros hispanoamericanos del Consejo Ejecutivo de la Unesco y el suscrito por los escritores puertorriqueños José S. Alegría, Bolívar Pagán y Washington Lloréns, que con notable acierto recordaban al pueblo de Filipinas, cómo no obstante estar asociado Puerto Rico, políticamente, a los Estados Unidos de Norteamérica, "ha conservado, a través de todas las vicisitudes históricas, la lengua que nuestros antepasados trajeron con su civilización a nuestra tierra hace más de cuatro centurias". "Así—terminan los ilustres escritores puertorriqueños—hemos mantenido la hermandad cultural con la nación progenitora y civilizadora y con los numerosos pueblos del hemisferio occidental que hablamos la misma lengua y con los cuales estamos unidos por vínculos de común origen hispánico" (Blas Piñar López, Director del Instituto de Cultura Hispánica, *Filipinas, país hispánico*, Madrid, 1957, Ediciones Cultura Hispánica).

En el siguiente pasaje el autor es irónico y hace fundamento sobre falso: "Las ramificaciones de esta hipervaloración del inglés... trasciende al ambiente social general, engendrando una correspondiente minusvaloración del español, sólo adecuado para entenderse con los pueblos subdesarrollados, pobres y absurdamente revolucionarios de Hispanoamérica, a diferencia del inglés, lengua de nuestra gran nación, de la Ciencia, del progreso y de la libertad."

La mal intencionada ironía del autor está como neguilla en la sembrada en este ensayo que pretende ser científico. La mesura (quiero decir la medida que siempre va al par de la ciencia) no es virtud del apasionado profesor. Basta el terco empeño para que parezca dudosa la causa.

Lo que sigue es falso sobre injusto: "... se colocan las ideas independentistas o, simplemente, afirmadoras de la personalidad puertorriqueña, bajo una luz envilecedora, denigrativa o ridiculizadora."

Como ya puede verse, el autor no nos deja abierto un resquicio para la esperanza y ataca con rabiosísimo ensañamiento.

II

Metido en "transculturaciones" ajenas, el profesor Germán de Granda Gutiérrez, autor de un controvertible libro titulado *Transculturación e interferencia lingüística en el Puerto Rico contemporáneo (1898-1968)*, nos endilga no pocos infundios, los más exagerados, quizá para confirmar aquello de que las mentiras, como las truchas, cuanto mayores, tanto mejores.

Dice el autor que son *mimetizantes* "las asociaciones de índole social que han venido a sustituir con desventaja la antigua modalidad de relación comunitaria hispánica que se desarrollaba en plazas y cafés".

Las "asociaciones de índole social y mimetizante" son nada menos que las siguientes: Hijas Católicas de América, Cruz Roja, Clubes Sociales, Caballeros Evangélicos, Asociación de Veteranos, Elks, Rotarios, Leones, Masonería y la masa proletaria, que según una cita del autor es "muchedumbre desculturizada y sin camino, de vida vacía".

Si el autor prefiere las plazas y cafés, allá él, con su pan se lo coma.

Tengo para mí que puesto a pedir, este profesor de la "transculturación" pediría para San Juan lodos con perejil y hierbabuena, como es fama que eran las calles de Madrid, según don Luis de Góngora. Y no es de dudarse que todavía echa de menos aquella hora menguada de las once de la noche en punto, cuando según don Luis Vélez de Guevara se vertían las aguas sucias por las puertas de la calle. Pero el "¡agua va!" ya no se ve, ni se oye, ni se huele ni en Madrid ni en San Juan. La costumbre de cambiar que tienen algunas costumbres no parece ser del agrado del autor.

Afirma el autor que nosotros miramos a los países hispanoamericanos "con óptica norteamericana, peyorativamente y con superioridad" y que hemos perdido contacto con *la tradición hispánica viva desintegrada por la industrialización...*

Medrados estamos. Si las Hijas Católicas y la Cruz Roja, etcétera, son mimetizantes y la industrialización desintegra la tradición hispánica viva, ¿qué demonio vamos a hacer los puertorriqueños...? ¿Contemplarnos plácidamente el ombligo?

Después de gozar de la tan española hospitalidad puertorriqueña y por si nos habíamos echado otra cuenta galana, el profesor Germán de Granda Gutiérrez nos pone cual digan dueñas y como chupa de dómine, cosa fuera de toda buena costumbre: *La personalidad puertorriqueña, individual y colectiva es turbada, neurótica, insegura y, en resumen, enferma.*

A esto se responde que no son pocos los logros de esta "personalidad neurótica y enferma" en todas las actividades humanas: ciencia, arte, literatura, comercio, teatro, deportes, política...

Pero como ya tengo dicho, el autor nada bueno ve en esta tierra que para algunos es la tierra del pipiripao. Ni siquiera respeta nuestra religiosidad y nos deja que parecemos la misma estampa de la herejía.

Y como una cosa trae la otra y esa otra muchas cosas más dice que el español es considerado como vehículo de comunicación coloquial y *despreciado por su empleo exclusivo entre las clases inferiores, por ser reliquia de un pasado que se intenta por todos los medios cancelar.*

¿A qué propósito viene esta absurda tinterillada, este increíble *faux pas?* Bien dijo el sabio Salomón que en el mucho hablar no pueden faltar pecados.

¿De dónde saca el autor que los puertorriqueños despreciamos el español por su empleo exclusivo entre las clases inferiores? Exclusivo vale: único, solo, excluyendo a cualquier otro. De esto se deduce que sólo las clases inferiores hablan español en Puerto Rico, cosa que por absurda desvirtúa toda la obra del señor Germán de Granda Gutiérrez.

No merece más comentarios este oneroso infundio, pero como dicen que lo que abunda no daña, haré pobranza porque conviene a mi propósito.

El R. P. Félix Restrepo, que fue director de la Academia

Colombiana de la Lengua, dijo el 8 de agosto de 1958, nada menos que en la inauguración del Seminario Andrés Bello en Bogotá: "Pero pocos pueblos (Puerto Rico) tan diligentes para conjurarlo (el peligro de la infiltración de la lengua inglesa). No solamente los eruditos, también los hijos del pueblo sienten el orgullo del espíritu español y defienden su idioma."

"Enviamos desde aquí, en esta solemne ocasión, una voz de aplauso y simpatía a nuestros hermanos de la bella isla borinqueña."

(Boletín de la Academia Colombiana, tomo VII, núm. 29.)

Y don Carlos P. Rómulo, Secretario de Educación de la República de Filipinas, dijo recientemente en *Mundo Hispánico:* "Debiera enviarse una comisión a Puerto Rico para que estudiase el modo cómo logró aquella tierra conservar lo que vamos perdiendo rápidamente."

(Mundo Hispánico, núm. 232, julio 1967, pág. 77, Madrid.)

No pocas lindezas nos ha endilgado la incomprensión transeúnte, pero *nadie había osado decir hasta ahora que los puertorriqueños despreciamos el español por su empleo exclusivo entre las clases inferiores.*

La Real Academia Española les dio hace poco carta de naturaleza a más de cien puertorriqueñismos (casi todos jíbaros) propuestos por la Academia Puertorriqueña de la Lengua. ¿Desprecio del idioma vernáculo? No; enriquecimiento.

Debe decirse aquí que si no se nos cae la baba cuando el elogio es sobrado, tampoco perdemos el sueño cuando la diatriba nos acosa. Bien se nos alcanza que como dijo un gran escritor español, necedad es aplaudirlo todo, destemplanza es condenarlo todo.

III

El profesor Germán de Granda Gutiérrez, autor de un infamante libro sobre Puerto Rico, afirma que los defensores de la tradición son calificados aquí de brutos y jíbaros: "Sus defensores son calificados aquí de 'brutos' y 'jíbaros', sus manifestaciones culturales (del jíbaro), como el bellísimo rosario cantado, son ridiculizados y, en resumen, la postura general frente a todo lo que conserve, aunque sea mínimamente, aspectos tradicionales es de absoluto despego, rechazo y antipatía."

Otro *faux pas*...

Es de notarse que mientras yo leía con la natural indignación el libro del profesor Germán de Granda Gutiérrez, resonaban en la calle villancicos, aguinaldos y música brava (jíbara), con el jíbaro acompañamiento de cuatros, güiros y maracas. Es natural, pues, que ponga en tela de juicio lo que el señor De Granda dice en el párrafo anterior.

Tengo para mí que el profesor Germán de Granda Gutiérrez no leyó la magnífica revista del Instituto de Cultura Puertorriqueña ni el *Boletín de la Academia de Artes y Ciencias de Puerto Rico*. Debe decirse aquí que la entrega de octubre-noviembre-diciembre de 1967 de este *Boletín* (tomo III, núm. 4) está dedicada al idioma y al folklore puertorriqueño. Cito los títulos de algunos ensayos: "El sentido poético de la lengua hablada en Puerto Rico", "El lenguaje de los indios borinqueños", "Localismos y frases corrientes de Puerto Rico", "Costumbres tradicionales", "Leyendas puertorriqueñas", Adivinanzas, refranes, modismos y locuciones", etc.

La palabra jíbaro ya no se toma a mala parte; ha perdido el pelo de la dehesa. Lo que perdió en acepciones peyorativas lo ganó en excelencia y dignidad. Sirve ahora para ponderar.

En los albores de la literatura puertorriqueña el doctor Manuel A. Alonso les sacó los trapos al sol a las costumbres jíbaras y de paso escribió, según dice don Salvador Brau, la historia íntima de un pueblo".

El jíbaro del doctor Alonso se pintaba solo para bailar el cabayo, el garabato, la caena y el seis chorreao, amarrao o balseao. Se parecía al Perico Paciencia del mismo autor, que todavía lleva a cuestas el contrabajo, pero como ahora paga a escote los gastos de la fiesta, ya puede casarse con la hija del alcalde, y a veces se casa con ella.

Como ya tengo dicho en otra parte, la voz *jíbaro*, que según los poetas está "arropá de cundeamores y siempre húmeda del *rosiduo* de los campos", tiene ahora la misma música, pero diferente mensaje.

En vez de deslexicalizarse, de puro manoseada, se enriqueció y tuvo prole: jibaridad, jibarismo, y una mañana que sin duda fue soleada y florecida (después de la muerte del jíbaro por excelencia, don Luis Muñoz Rivera) todos los puertorriqueños amanecimos jíbaros (debió de ser que nos acostamos jíbaros).

Estando así las cosas y ya identificada la jibaridad con la puertorriqueñidad, el jíbaro, que ya tiene hijos bachilleres y catedráticos, pide ahora seguridad y estabilidad, cosa muy natural en un mundo donde toda inseguridad tiene su asiento.

¿Por qué desafina tanto don Germán de Granda Gutiérrez?

Desafinaba el niño Miguel de Unamuno en el ensayo de un coro infantil. "¿Por qué desafinas?", le preguntó el director. Y el niño Miguel contestó: "Porque si no desafino no me oyen."

¿Por qué desafina don Germán de Granda Gutiérrez?, pregunto de nuevo.

El autor sólo está de acuerdo con los que están de acuerdo con él. (Sépase que esto lo digo con una sonrisa.) Cuando un escritor no está de acuerdo con lo que él llama la "inteligencia literaria", lo despacha con más seriedad que Perico en la horca y con muchísima prisa: "La visión optimistamente favorable, que de la situación actual del español de la isla tienen distinguidos filólogos e intelectuales..."

Dice uno de los distinguidos filólogos e intelectuales (Rubén del Rosario): "La aportación inglesa al léxico de Puerto Rico ocupa en realidad un lugar secundario... Fuera del vocabulario, en las otras esferas del lenguaje, la interferencia del inglés es mucho menos. Esta influencia en modo alguno afecta el curso de nuestra hispanidad..."

Para estas razones el autor de *Transculturación*... sólo tiene oídos de mercader.

Quedan así desprestigiados los terribles males de la interferencia lingüística y la tan cacareada "agresión cultural" que el autor ve con ojos de alinde.

No quisiera traer a colación temas de índole política. Si los traigo es porque vienen a cuento, y espero que no me los tomen a mal.

Digo, pues, que es de notarse la importancia que los partidos políticos dan al jíbaro y no sólo para hacerle carantoñas al voto rural, sino también porque es símbolo de nuestra puertorriqueñidad. (Véase el emblema del Partido Popular Democrático.)

Don Luis A. Ferré, Gobernador de Puerto Rico, llamó "Estado Jíbaro" al ideal de su partido político. Y con el *Estado jíbaro* como bandera de combate *(slogan,* dicen algunos aquí y allende el mar) ganó las elecciones.

No es cierto, pues, que "los defensores de la tradición son calificados aquí de 'brutos' y 'jíbaros' y que la postura general frente a todo lo que conserve, aunque sea mínimamente, aspectos tradicionales es de absoluto despego, rechazo y antipatía".

Debo confesar aquí, porque es éste su lugar, que nuestro español a veces cojea, pero no por la enseñanza del inglés, sino por la pobre enseñanza de ambos idiomas. Esta deficiencia será remediada por *simple circular administrativa.* (Véase el sabio "Mensaje" de don Luis A. Ferré, Gobernador de Puerto Rico, y el magnífico programa del doctor Ramón Mellado, Secretario del Departamento de Instrucción.)

IV

El profesor Germán de Granda Gutiérrez, autor de un controvertible y curioso libro titulado *Transculturación e interferencia lingüística en el Puerto Rico contemporáneo (1898-1968),* sólo ve un Puerto Rico enfermo y neurótico.

No sufre la brevedad de estos comentarios periodísticos largas y tediosas consideraciones lingüísticas. Pero debe decirse aquí que el nacionalismo lingüístico (mal potro) del señor Germán de Granda Gutiérrez es ajeno al mesurado y riguroso estudio de los problemas de la lengua.

Para probar el deterioro del español en Puerto Rico, el autor de *Transculturación...* cita algunos fenómenos lingüísticos generales del libro *Nuestra lengua materna,* del académico español don Samuel Gili Gaya.

Aunque el excelente libro de Gili Gaya fue escrito para el Instituto de Cultura Puertorriqueña, no es verdaderamente un estudio del español de Puerto Rico, sino de la lengua materna de la Hispanidad.

En el prólogo de la obra dice Gili Gaya: "Puerto Rico, por sus especiales circunstancias políticas, siente agudizada preocupación por su lengua vernácula, hasta el punto de crear en muchos puertorriqueños una actitud defensiva que, si bien puede ser saludable en varios aspectos, está fundada en el supuesto gratuito de que hablan un español averiado, empobrecido en sus recursos expresivos por la presión de la lengua inglesa. Este sentimiento de inferioridad, a veces consciente, pero que a menudo subyace informulado, hace mucho más daño a la conciencia idiomática del país que la infiltración de voces exóticas, por abundante que sea; y hay que combatirlo, porque es falso y porque es perjudicial."

Y por falsos y perjudiciales hay que combatir los infundios del señor Germán de Granda Gutiérrez.

Volviendo a lo que nos importa de momento, digo que los siete "fenómenos concretos" se dan con harta frecuencia no sólo en Hispanoamérica, sino también en España. Quizá, como diría Charles Bally, algunos son tendencias profundas del lenguaje.

Me interesa por ahora el "fenómeno concreto" d) porque con ser castellano y elegante, Granda lo tiene por pecado mortal.

d) Intercalación de adverbios entre el auxiliar haber y el participio verbal

En *Lengua de Cervantes* dice don Julio Cejador y Frauca: "Es de notar que el participio puede ir separado del verbo haber..., y esto es elegancia."

Y el filólogo español Emilio Lorenzo recogió 77 ejemplos de autores españoles que intercalan adverbios entre el auxiliar haber y el participio verbal. Los 77 ejemplos son de Joaquín Costa, Pérez Galdós, Unamuno, Benavente, Marañón, Dámaso Alonso, Gabriel Miró, Azorín, Pérez de Ayala, Ortega y Gasset y Camilo José Cela.

Si fuera cierto lo que dice Granda, don Miguel de Cervantes sería el autor más *transculturado* en lengua castellana. Véase un ejemplo con gerundio compuesto: "Y si los deseos se sustentan con esperanzas, no habiendo yo dado alguna a Crisóstomo...", dice Marcela en el *Quijote*.

El amargado profesor Granda arma un tremendo lío, una sabrosa comedia de errores. Usa la interpolación en la página 131, la rechaza en la pág. 168 diciendo que es prueba de la penetración de la lengua invasora, y para enredar más las cosas cita en la Bibliografía (533 obras, las más en inglés), el libro de Emilio Lorenzo *El español de hoy, lengua en ebullición*, Madrid, 1966 (Prólogo de Dámaso Alonso), que tiene todo un capítulo sobre el "Desgajamiento del Participio en los tiempos compuestos" (págs. 153-160).

En este capítulo dice Emilio Lorenzo: "Las aparentes infracciones están dentro de la tradición de nuestra lengua y las autorizan insignes escritores modernos insertos en la línea de nuestros clásicos."

Dice Don Germán en la página 131: "... la estructura capitalista y 'liberal' que ha supuestamente transformado a Puerto Rico."

"que ha *supuestamente* transformado".

En una página usa la intercalación; en otra la condena. ¿Es bueno para De Granda lo que es malo para los puertorriqueños?

¿Consultó el profesor De Granda los 533 libros de su Bibliografía?

Es cosa bien sabida que los cambios lingüísticos son muy lentos, especialmente los sintácticos. En menos de cuatro años (el filólogo español Gili Gaya publicó la obra citada en 1965), apenas ocurren cambios de alguna monta en el lenguaje de un país. Hace más de diez años el mismo Gili Gaya dijo lo siguiente: "El castellano en Puerto Rico es muy puro, mejor que el de algunos otros países de la América Hispana..." La opinión de Gili Gaya, pues, no ha variado, señal de que tampoco ha variado el idioma.

Le parece mal al distinguido profesor que nos infama que algunos puertorriqueños escriban artículos y libros en inglés. A esto diría el gran sabio Perogrullo: "Pues, hombre, para algo lo estudian."

El nacionalismo lingüístico (mal potro) de Germán de Granda Gutiérrez es sorprendente. Nadie puede poner en tela de juicio la puertorriqueñidad y el patriotismo de don Adolfo de Hostos, hijo del gran puertorriqueño universal don Eugenio María de Hostos. Siendo esto así, como en hecho de verdad lo es, ¿acaso merece censura don Adolfo de Hostos, autor de preciosos libros en español, por la publicación de su último libro *Caribbeans, Born and Bred,* que según los editores expresa el encanto de Puerto Rico, Cuba, Jamaica, Haití, Panamá, Curazao...? ¿Y merece patriótica censura el juez Ramón A. Gadea Picó porque ha traducido al inglés los poemas de Góngora, y los señores Eladio Rodríguez Otero y don Luis Muñoz Marín porque han escrito artículos en inglés? ¿Deben ser desterrados de nuestro mundo hispánico criollo la señorita Camille Carrión, que ha triunfado en el teatro de España, don Juano Hernández y don Leopoldo Santiago Lavandero, porque han hecho teatro en inglés? ¿Sería justo condenar a las penas del infierno al doctor Ramón M. Suárez porque generosamente ha ofrecido su ciencia universal en los dos idiomas universales, español e inglés?

Charles Bally, afamado autor de *El lenguaje y la vida,* afirma que "la asimilación de una lengua extranjera no implica para un escritor ni coacción paralizadora ni abdicación de la personalidad heredada de otro medio social".

El español Jorge Santayana escribía las más de las veces en el más elegante y fino inglés de Estados Unidos. Sin embargo, según el Académico don José María Pemán, "en todo lo que se escribió en 1898, el poema de Santayana 'España en América' es el que más absolutamente es ya voz de Hispanidad".

Y es cosa bien sabida que la dicción inglesa del actor puertorriqueño don José Ferrer es la más clara y limpia del teatro norteamericano. ¿Qué será para el señor De Granda este actor genial? Pues un actor "transculturado" víctima de la "agresión cultural".

Según el autor de la *Transculturación,* el inglés es el *enfant terrible* de la puertorriqueñidad. Todos los males de Puerto Rico, que no son pocos, se originan en el estudio de ese idioma universal que se estudia y se habla en todos los países civilizados.

Con todo, don Pedro Salinas dice con no poca autoridad que "el conocimiento de la lengua inglesa por la generalidad de los ciudadanos de Puerto Rico es un beneficio incalculable hecho a la vida espiritual del país". Y según el historiador inglés Arnold Toynbee, "Puerto Rico puede retener su identidad cultural en asociación con Estados Unidos".

El inglés, lengua universal, "permea" hoy todas las lenguas. Y no se salva ni la lengua de la docta Colombia, donde es fama que se habla el mejor español de América.

Don Luis Flórez, filólogo del mismo Instituto Caro y Cuervo que publicó el libro del profesor Germán de Granda Gutiérrez, dice que "la enseñanza y la difusión de la lengua española tienen hoy en Colombia fuerte competencia en la general, constante e intensa difusión y enseñanza del inglés". Y el Secretario Perpetuo de la Academia Colombiana habla del uso indebido de lenguas diferentes (el inglés) en la redacción de documentos oficiales de Colombia. *(Boletín de la Academia Colombiana,* tomo XVIII, 1968, núm. 74.)

¿Es justo que los puertorriqueños carguemos con el sambenito de un fenómeno universal quizá inevitable?

Porque es firme nuestro propósito de superación, no nos detienen palabras ociosas. Pero bien se nos alcanza que odios nos acosan, peligros nos amenazan, enemigos nos hostigan, propagandas viciosas nos ponen piedras en el camino.

Autorizado por el Instituto Caro y Cuervo, el libro del profesor Germán de Granda Gutiérrez nos hará mucho daño aquí y en los demás países hispanoamericanos.

La obra tiene un bien escrito y discreto prólogo de don Rafael Lapesa, Secretario Perpetuo de la Real Academia Española.

(De *El Mundo,* San Juan de Puerto Rico, 21, 22, 24 y 25 de febrero de 1969.)

POLITICA Y LENGUA

I. *Evolución de la palabra "jíbaro"*

Sólo me mueve el futuro del español de Puerto Rico; pasiones políticas no me ciegan; pero si de paso puedo echar alguna luz sobre no aclaradas provincias de nuestra política que traen a mal traer a no pocos puertorriqueños, habré hecho de un camino dos mandados. Y si puedo poner una nota austera en nuestro vilipendioso y mal hablado politiquear que anda las más de las veces en viva quien vence y fuera de razón y verdad, pues miel sobre hojuelas.

El Estado "jíbaro" que don Luis A. Ferré presentó con razones concertadas y con sosegado juicio en tumultuoso ambiente político que se solaza con palabras ociosas, renueva controversia nunca acabada, no por el sereno razonar de unos, sino por el furioso politiquear de otros.

No es cosa del otro jueves que el idioma sea encendido tema político en Puerto Rico. Pero también es asunto de tira y afloja, que sirve a diversos propósitos, como esos versos que los poetas dedican a muchas damas con sólo cambiar un adjetivo aquí y un sustantivo allá. Dicen que Colombia ha tenido guerras por un gerundio y es cosa para creer, pues aquí armamos la marimorena por quítame allá ese anglicismo.

Tres palabras piden ahora la palabra: jíbaro, jibaridad, puertorriqueñidad. La claridad exige que se defina primeramente la primera, palabra andante y pintoresca que antes se tomaba a mala parte. Se aplicaba a los campesinos blancos: luego a todos los campesinos. Lo que perdió en acepciones peyorativas lo ganó en excelencia y dignidad. Sirve ahora para ponderar.

En la República Dominicana vale también campesino; en Cuba, rústico y salvaje. Dice E. Rodríguez Herrera, distinguido académico cubano, que en Cuba son jíbaras las aves que "tiran para el monte". No quiero que E. Rodríguez Herrera cargue con el "tirar para el monte". Sustituí sus palabras cultas para que viniera "derecho a su derechura" otro tirar del jíbaro, que es un tirar para la capital, con lo cual sale de guatemala y se mete en guatepeor.

Dicen los doctos que los "jíbaros" de Sudamérica, que algunos tienen por guaraníes y otros por aruacas, invadieron a Puerto Rico y a Santo Domingo. Y no faltan los que afirman que *jíbaro* viene del vizcaíno gebo, que quiere decir aldeano. Sea de todo esto lo que fuere, lo cierto es que la palabra jíbaro es "avencidada".

El doctor Bailley K. Ashford le curó la anemia tropical al jíbaro. Y ya preparado el camino, don Luis Muñoz Marín, estimulado por el muy puertorriqueño café puya y prieto de los bohíos, ideó *status* que casi es Estado Jíbaro Asociado, aunque algunos dicen que es Estado de transición, como en hecho de verdad lo es.

Estando así las cosas, y ya identificada la jibaridad con la puertorriqueñidad, llegó el jíbaro a difícil encrucijada de tres caminos. Ennoblecido y enriquecido por la libertad y la dignidad, pide ahora seguridad y estabilidad, cosa muy natural en un mundo donde toda inseguridad tiene su asiento.

El nuevo jíbaro, que ya tiene hijos catedráticos y está casi en el umbral de la clase media, pide *status* que no ofenda el corazón ni rechace la cabeza, y no quiere pasarse la vida como aquel que va y no llega.

Punto es de discreción no decir más de lo que se tiene prometido. Dejo aquí, pues, el tema político apenas enunciado, aunque bien se me alcanza que algunas razones políticas caerían aquí como de perlas. ¿Acaso no tiene el hombre una misión política sobre la tierra?

No siempre va al par de los buenos propósitos la convencedora intención. Dios quiera que la discreción me asista; no quisiera que dijeran de mí, como se dice de otros, que serían más razonables mis razones si encubrieran más lo político.

Cosa es de novelistas poner en boca de personajes lo que

no es prudente decir por cuenta propia. Y se me ocurre que dejando hablar por sí mismos a los que de política entienden, puedo pasar por inocente espectador y amigo de mirar y de oír, y así quedarían dichas las razones que hace rato me andan retozando. Pues dicho y hecho. El Estado jíbaro, dicen algunos, destruiría la jibaridad. Con su cuenta y razón contestan a esto los que piensan lo contrario, que con tales razones se echa de ver la poca fe que tienen en la jibaridad.

Los dimes y diretes serían inacabables y hay que ponerles coto, pero como no quiero dejar corta mi promesa, pido más ilustración a los sabidores.

Dicen por ahí que Estados Unidos no acepta Estados con motes. A lo cual se responde que Pensilvania es Estado cuáquero y Utah Estado mormón, y pare usted de contar.

Y ya que he sido generoso en divulgar opiniones ajenas, que se me permita echar un hilo en la tela para decir que en nuestra política de "inuendos" ha prendido una "demagogia" frondosa de ramas y "enjillía" de frutos.

Va entre comillas la palabra demagogia porque casi siempre la usamos mal. Demagogia, que según dicen muy sesudos varones viene de dos palabras griegas que significan 'pueblo" y "conducir", es, según el *Diccionario de la Real Academia Española,* la dominación tiránica de la plebe, y el demagogo es el cabeza o caudillo de una facción popular. Demagogo es también el orador extremadamente revolucionario.

Se dice que demagogia es también el abuso del sistema democrático que sacrifica el interés general a los intereses de un partido. Son demagogos los que halagan a la plebe y los que hablan salga lo que saliere y no se entienden ellos mismos:

—*¿Entiendes, Fabio, lo que voy diciendo?*
—*¿Y cómo si lo entiendo?—. Mientes, Fabio;*
que soy yo quien lo digo, y no lo entiendo.

(LOPE DE VEGA.)

Tenemos, pues, demagogos de todos los colores y todos desafinan.

Pero el desafinar de otros casi siempre oculta malas intenciones. Desafina el orador político que no tiene nada que

decir, y hasta el que teniendo algo que decir no se cuida del
buen orden y concierto de las palabras para que se confor-
men con la seriedad de las ideas.

II

El español en Puerto Rico

Harto encarecido tengo ya el español de Puerto Rico, pero
como tengo por buena sentencia que lo que abunda no daña,
cito a continuación bellas palabras que uno de los fundado-
res del Partido Nacionalista de Puerto Rico, don José S. Alegría, dijo en la Real Academia Española: "Nuestro español
se ha conservado castizo y puro. Y así podemos hoy, con orgullo, internar nuestra patria en todas estas patrias afines,
aquí hoy reunidas."

¡Qué palabras tan para meditar!

Hago aquí inquietante pregunta porque es éste su lugar:
¿Se ha maculado nuestra lengua por la enseñanza del inglés? Si fuera cierto, seríamos nosotros menos que los franceses de Quebec y que los catalanes de España.

Anglicismos de Hispanoamérica

El profesor argentino Marcos Augusto Morínigo, profesor
full-time, según él mismo dice, registra en su *Diccionario de
americanismos* 631 anglicismos de Hispanoamérica. Y antes
quito que no añado, pues no cuento los anglicismos de los deportes ni los ya castellanizados que tienen carta de naturaleza académica.

Es de notarse que Puerto Rico no frecuenta todos los anglicismos de Hispanoamérica (he contado más de 130). Y
aunque algunos de los que se usan por necesidad me parecen duros de pelar, digo con elocuentes palabras del *Diálogo
de la Lengua* (Valdés), que "conociendo que con ellos se
ilustra y enriquece mi lengua, todavía los admitiré, y usán-
dolos mucho a poco los ablandaré".

Casi coincide el número de anglicismos de Hispanoamérica que registra el profesor Morínigo en Argentina en 1968,
con el número de francesismos de España que recogió Baralt

en 1855, que fueron 600. (V. su *Diccionario de galicismos.*)
¿Qué suerte corrieron estos 600 galicismos condenados por
Baralt? Contesto a esto que más de la mitad están ya incor-
porados a la lengua común. Es de suponerse que el prolo-
guista del *Diccionario de galicismos* ya mentado, don Juan
Eugenio Hartzenbusch, previó esta saludable asimilación
cuando puso a la cabeza de sus comentarios "lo que dijo de
sí, escribiendo a una religiosa, el poeta más fecundo que ha
tenido España, frey Félix Lope de Vega y Carpio":

> *Favorecido, en fin, de mis estrellas,*
> *Algunas lenguas supe, y a la mía*
> *Ricos aumentos adquirí por ellas.*

Dice el gran lingüista español con Dámaso Alonso que en
América hay influjo del idioma inglés en el Norte, y en el
Sur influjo del francés, pero que podemos prever para la segunda mitad de este siglo un gran aumento del influjo del
inglés norteamericano y una rápida disminución del francés.

Sabido es que ni la misma España se ha librado de la invasión de extranjerismos. Y éste es fenómeno natural que se
ha dado muchas veces en la Historia.

La elegancia y la pureza del idioma no se obtienen con el
mezquino regateo de neologismos necesarios ni con el aislamiento preventivo. Las lenguas, como los hombres, nece-
sitan comunicarse entre sí y trabar diálogo y correr mundo.
No se aliñan con la ropa vieja ni renacen constantemente de
sus propias cenizas ni se complacen en la inútil y ridícula
contemplación del ombligo ni rechazan por pudibundez o
exagerado recato los amorosos requiebros de los viriles galanes que han de dejarlas encinta de hijos hermosos y vigorosos.

Pues aprovechando así lo nuevo útil puede conformarse
con las novedades de la ciencia y de la filosofía y ofrecer
matices hermosos a los poetas y vocablos nuevos a la tecno-
logía.

No es tan rico ningún idioma que no envidie tesoros de
los demás idiomas. Envidiable es la palabra *saudade* de los
portugueses, que hacen gala de ella: "Tenemos la palabra
saudade, que las otras tierras no tienen."

Y es lícito libar el néctar de otras lenguas, y como las abe-

jas laboriosas, digerirlo y asimilarlo y ofrecerlo en riquísima
miel.

Estados Unidos trata de conservar el español del Sudoeste

Se dice con harta frecuencia que un Estado jíbaro estaría
en la Unión norteamericana como neguilla en la sembrada.
Aunque no va mi propósito por este camino, algo diré para
mayor entendimiento de lo ya dicho y de lo que luego se dirá.

Digo, pues, que en Estados Unidos hay 30 millones de nativos de otros países que hablan su idioma vernáculo (todos,
los idiomas de la tierra). Y para mayor abundamiento dejo
dicho que en Tejas experimentan con escuelas bilingües,
"utilizando el inglés como medio de enseñanza en una parte
del día, y el castellano en otra". Y que el Estado de Tejas
tiene dos idiomas oficiales: el inglés y el español ("El español, idioma oficial en Tejas", Ya, julio 19 de 1967), y que en
Laredo un 85 por 100 de la población habla español. Y en
California se enseña castellano desde el quinto grado (once
años) y en algunas poblaciones de Nuevo Méjico todos los
habitantes hablan español y desconocen el inglés. No es justo decir, pues, que Estados Unidos tiene el propósito de evitar el florecimiento del español de Puerto Rico. Afirmar este
despropósito es hacer cálculos a ojo de buen cubero.

A estas razones debe añadirse que recientemente el doctor Joshua A. Fishman, "profesor de Ciencias Sociales de la
Universidad de Yeshiga, uno de los centros hebreos de alta
enseñanza más afamados de la nación, dijo que la sociedad
americana debe reconocer y proteger el indescriptible, fuerte
y saludable amor que esta gente (los puertorriqueños) profe-
sa por su rica cultura y el idioma español" (El Mundo.)

Y no digo más, aunque esto va tratado con demasiada
brevedad.

III

Purismo político

En todas partes existe cierto purismo nacionalista exacerbado cuando existen antagonismos políticos entre dos

pueblos cuyos idiomas ya han trabado diálogo y se regalan en buena paz y compañía. Este purismo nacionalista, a veces sincero, pone obstáculos a la inevitable y natural transformación de las lenguas (la terminación *ismo* lleva al par de sí (conlleva, dirían algunos), el significado de exageración).

Ese purismo que hace grandes extremos cada vez que el hablante frecuenta algunas palabras extranjeras, ya por necesidad, ya por pura coquetería, ya por afectación, es sólo purismo político que rechaza palabras de una lengua en particular, admite complacido neologismos de otras lenguas y descuida la sintaxis, tuétano del idioma. Para el purista político el idioma es sólo arma de combate; lo defiende, pero no lo cuida; es indiferente a la incorrección sintáctica porque su escrúpulo es sólo hipocresía y fingimiento. Lo lisonjea con patriotismo y no lo regala con obras.

En hacer las oraciones
no pondrá cuidado alguno
aunque el nombre esté en España
y en Marruecos el gerundio.

Dijo bien don Miguel Breal en su *Ensayo de semántica* que la repulsión que las palabras extrañas inspiran en algunas personas se ve que "es debida a asociaciones de ideas, a recuerdos históricos, a miras políticas". Y según el distinguido filólogo don Dámaso Alonso, "en Italia, en la época fascista, el interés estatal se concentró, sobre todo, en la lucha contra el extranjerismo; era consecuencia, por tanto, de la exacerbación nacionalista (sumamente peligrosa en materias de lenguaje)".

Llega a tales extremos el purismo político que se escandaliza cundo usamos extranjerismos universales o vocablos de otras lenguas que la ciencia, con razón o sin ella, ha adoptado. Y a veces en sus razones se deja ver el odio espantadizo, aunque aparentemente habla muy a lo discreto. El purismo político es como cizaña en tierras de pan sembrar.

Es de notarse que la repulsión nacionalista cae las más de las veces en otro vicio: el uso excesivo de vulgarismos propios del país. Escapan del trueno y dan con el relámpago. Y de paso ponen en riesgo la unidad del idioma.

A veces pienso, quizá con poco rigor científico, que no

es del todo razonable el rechazo de las acepciones latinas de palabras homófonas o casi homófonas que el inglés aprovechó y el español dejó pasar, quizá porque no las necesitaba entonces.

Dice Unamuno en el ensayo *La tradición eterna* que a una invasión de atroces barbarismos debe nuestra lengua gran parte de sus progresos. El lenguaje todavía rudo y a medio hacer de los forjadores del idioma español estaba ya contaminado de galicismos. (Uso la palabra contaminado con cierto repelo o repelillo, como decimos nosotros.) Menéndez Pidal contó hasta once galicismos en el *Cantar del Mío Cid:* mensaje, homenaje, vianda, etc.

Pero debe decirse aquí que el inglesear caprichosamente es serio pecado, como lo es también el descabellado francesar. La necesidad es la suprema razón del neologismo. Uno es el uso discreto de extranjerismos que aportan algo nuevo a la cultura, otro la "barbarología" rampante.

Los hábitos fonéticos de Puerto Rico

El español puertorriqueño apenas se diferencia del español de Hispanoamérica. Y las variantes puertorriqueñas en la articulación de los sonidos se dan igualmente en España, excepción hecha de la r uvular, que se da sólo en Puerto Rico.

Tengo para mí que muchos puristas políticos le han achacado la r uvular a la enseñanza del inglés, como en hecho de verdad ya le han achacado la aspiración de la h y de la s, el yeísmo, el seseo, la confusión de l y r, que son fenómenos generales. A palabras necias, oídos sordos. Pero algo debe decirse para dejar las cosas en claro, pues hay incautos que creen en estas patrañas "lingüísticas" como en artículo de fe.

¿De dónde viene esa r uvular puertorriqueña? Según Navarro Tomás, la población taína, cuya lengua carecía de r, interpretó como vibrante uvular la vibrante alveolar de los españoles. Y este hábito fonético es más notable en Maricao (Indiera Alta e Indiera Baja), "donde se mantuvieron los indios aislados durante más tiempo".

Puede ser, pues, que nuestra r uvular sea sustrato taíno, así como la igualación b-v del castellano se debe a resistencia vasca, pues los vascos no pueden pronunciar la v labiodental.

¿Es Puerto Rico un país bilingüe?

Puerto Rico todavía no es país bilingüe. Bilingüismo es el uso habitual de dos lenguas, como en Paraguay. El uso ocasional de un idioma que hemos aprendido en la escuela y que no mamamos con la leche materna, dicho sea con palabras de fray Luis de León, no nos hace bilingües. "Conviene decir—dice el lingüista Samuel Gili Gaya—que no llamo bilingüe al que sabe dos lenguas, sino al que las vive dentro a partir de la infancia, como resultado de su educación y de su ambiente social." Puerto Rico es, pues, por ahora, sólo un país que cultiva amorosamente su idioma materno y estudia el inglés como todos los paises civilizados.

No se pueden aprender bien otros idiomas si no conocemos profundamente el idioma propio. No hay cosa más lamentable que el lenguaje burocrático de Puerto Rico, debo admitirlo. El lenguaje burocrático, desaliñado, balbuciente, vacilante, de bárbara sintaxis, no es resultado de la enseñanza del inglés como dicen los que no dan reposo al vilipendioso politiquear, sino de la mala enseñanza del español y del poco apego a la lectura de buenos libros españoles e hispanoamericanos. Si la enseñanza del idioma inglés pusiera en riesgo nuestro numeroso y sonoro idioma español, señal sería de que lo tenemos pegado con saliva, como dicen. Muy poca justicia les hace el purismo político a la tenacidad puertorriqueña y a su bien probado amor por su idioma materno.

"Muchas veces—ha dicho Gili Gaya—he observado que los puertorriqueños con mayor aptitud para aprender inglés son precisamente los que mejor dominan su español nativo."

No dijo a humo de pajas Navarro Tomás: "... el futuro del español de Puerto Rico será en definitiva lo que los puertorriqueños quieran que sea."

Y bien claro está lo que los puertorriqueños queremos que sea el español de Puerto Rico.

ENTENDEMOS "ANYWAY"

Entendemos "anyway"

Con no poca frecuencia aparecen en la Prensa puertorriqueña y en la extranjera artículos superficiales e injustos sobre el español de Puerto Rico. A veces los autores cogen de mingo a Puerto Rico para atacar a Estados Unidos. No saben el mal que nos hacen.

Hace algunos meses apareció en la Prensa de nuestro país un ataque burlón titulado "Entendemos anyway".

Veamos uno de los pasajes de dicho artículo:

"Un ex gobernador de la Isla describió en una ocasión a Puerto Rico como el puente entre la América Latina y América del Norte. En muchos sentidos lo es. Principalmente lo que se refiere al lenguaje, que algunos llaman *spanglish;* otros dicen que es un español mal hablado y hasta hay algunos que dicen que es un inglés mal pronunciado."

Esto hay que cogerlo con un grano de sal. Puerto Rico puede llegar a ser ese mentado puente entre las dos Américas sólo si conserva su idioma y su personalidad de pueblo hispanoamericano.

El autor ha confundido el español de Puerto Rico con el *spanglish* de los latinoamericanos que residen en Nueva York. Aquí nadie dice *marqueta,* ni cuara, ni rufa... Decir que en Puerto Rico se habla *spanglish* es completamente erróneo y estúpido.

El autor del artículo (corresponsal de una agencia internacional de noticias) ofrece una "lista de las palabras y expresiones usadas casi diariamente en Puerto Rico y entidades por la mayoría de los puertorriqueños". No sé lo que quiere decir "Puerto Rico y entidades", pero voy a lo que importa. Es cosa bien sabida que los norteamericanos trajeron palabras nuevas para nombrar nuevas cosas y nuevas ideas. Algunas pegaron... Veamos:

Caucus. Esta palabra es de origen algonquino. El inglés la adoptó porque era necesaria, nosotros la usamos por la misma razón.

Statement. Ya nadie *da statements* en Puerto Rico.

Issue. El issue de la frase "el status no está en issue" no ha pasado de moda. Pero ya pasará...

Speaker. "Los presidentes de las Cámaras Legislativas son también conocidos como el 'speaker' de la Cámara de Representantes y el 'speaker' del Senado."

"Speaker del Senado"... ¿De dónde diablos habrá sacado el autor lo del "speaker del Senado"?

Lo de "speaker de la Cámara" se nos "pegó". La voz "speaker" también "pegó" en España, donde los locutores son "speakers".

Board (de board of elections). El autor del artículo está en Babia. Nunca se había hablado tanto en Puerto Rico sobre la Junta Estatal de Elecciones, que ya tiene su sigla: JEE.

Board de elecciones... El autor del artículo burlón y mal intencionado tiene memoria de elefante. Y las intenciones de un miura.

Christmas

En Puerto Rico decimos: "Están encima las crismas." Y en España llaman crismas o christmas a las tarjetas de Navidad. La palabra christmas ha evolucionado desde el año 1075: cristemesse, cristmasse, kryst-masse, crisemes, cristemese, cristemasse, crystmas, crystmasse, critmes, cristmas, cristimas, christmas, christmasse, christmass.

La palabra Cristo viene del griego Christós, traducción del hebreo meshiah, el Ungido, el Mesías.

Es perfectamente legítima y de acuerdo con la índole del idioma la castellanización de la palabra christmas.

Three Kings

Hombre, hombre... ¿Dónde diablos oyó decir "three kings" el autor del mal intencionado artículo? Quizá lo oyó en los "Nuevayores".

Aquí el puertorriqueño que diga "Three Kings" merece un soplamocos", que es lo que merece el autor del artículo que comentamos.

Esta caja no pesa nada, anyway.

A lo mejor... En todas partes se dicen barbarismos, barbaridades y cosas peores. En la docta Colombia, por ejemplo, dicen dry cleaning, pick up, hobby, match, folder, closet, parquear, shorts, locker, doméstico (por nacional nativo), chance, slogan, etc., y en España, "water closet", clipiar, espiquer, auto stop, campings, ticket, manager, ring, spot, parking, stands, flash, disc jockey, block, sprint, show... y otras lindezas.

Llenar una aplicación

Tiene alguna razón el autor del artículo. Aquí, como en la docta Colombia, algunos bárbaros *llenan aplicaciones*.

¿Por qué nosotros siempre pagamos los vidrios rotos del idioma?

Aplicación por solicitud se oye y se escribe en muchísimos países hispánicos.

Ready. Puede ser... Algunos puertorriqueños usan esta voz inglesa ya por esnobismo, ya para *echárselas*... sabrá Dios de qué.

National Committee Man. Todavía se usa esta expresión, casi siempre, como dicen los periódicos, para "consumo continental".

Local. Este adjetivo, de origen latino, vale "perteneciente al lugar; municipal o provincial, por oposición a general o nacional.

¿Qué hay de malo en la sustantivación de este adjetivo? Esto ocurre constantemente en el idioma y también hay ejemplos de lo contrario, la adjetivación de sustantivos, como en aquello de Cervantes: "Un clérigo cerbatana." Además, en la frase "local de la Unión de Camioneros" está implícito el sustantivo rama. "Rama local de la Unión de Camioneros."

Campus universtario. Campus es palabra latina de origen incierto. Es, pues, un latinismo. Muchas personas cultas usan la voz latina *detritus* en lugar de la española detrito. Y el que más y el que menos suelta latinajos cuando vienen a cuento.

¿Por qué no podemos usar el latinismo *campus*? ¿Porque lo usan los norteamericanos?

Continental. Cuando todavía nuestro idioma no estaba *contaminado*, llamábamos *peninsulares* a los españoles. Y la voz peninsular está definida así en el *Diccionario de la Real Academia Española:* "Peninsular. adj. Natural de una península. U. t. c. s. (Usase también como sustantivo.)

Nosotros llamamos isleños a los canarios, y la voz isleño está catalogada en el *Diccionario:* "Natural de una isla".

¿Por qué no podemos usar el adjetivo continental como sustantivo, si usamos peninsular e isleño?

Floor por hemiciclo. Sí; es cierto. Todavía se usa *floor*, pero ya está pasando la *novelería.*

Impactar por chocar. "Y dos automóviles, corriendo a alta velocidad en dirección opuesta, pueden chocar..., pero asimismo es que pueden impactar", dice el articulista.

Aquí se abusa un poco de la voz impacto que quiere decir choque de un proyectil en el blanco, pero lo de impactar me parece exageración del autor.

Trucks. Bárbaramente dicen algunos *truck* por camión.

Aunque dicen que mal de muchos consuelo de tontos, no es cosa de callar el mal de los otros. En algunos países hispanoamericanos dicen troc, troque y hasta troca.

DON DAMASO ALONSO EN LA ACADEMIA DE ARTES
Y CIENCIAS DE PUERTO RICO

DÁMASO ALONSO

Mucho ha llovido desde aquellos encantadores tiempos de nuestro tardío romanticismo, sobreviviente cuando ya el modernismo iba de capa caída.

Entonces el pueblo era admirador de poetas y escritores. Cuando don José Santos Chocano llegó a Puerto Rico, la admiración popular lo seguía por las estrechas y románticas y españolas calles de San Juan.

En esta época "ye-ye", de cultura con *minifalda*, el pueblo no se entera de nada. O, dicho con más verdad, sólo se entera de las trapisondas políticas. Es cosa bien sabida que la política es nuestro deporte "nacional". Y cuando algún hijo de vecino tiene mucha prisa es porque de la política viene y a la política va.

Por esta tierra que pudo ser de Santa Rosa pasan los grandes hombres como el humo, como las nubes. Y no es que anden por las nubes, sino muy a ras de tierra y observándonos. No pocas veces hemos tenido en un solo Congreso más de siete premios Nobel. Como si tuviéramos al Preste Juan de las Indias...

Por aquí pasó hace poco el doctor Selman A. Waksman, que le dio al mundo la estreptomicina. Como si pasara don Gonzalo González de la Gonzalera... Ni siquiera los que le deben la vida a la estreptomicina se enteraron.

Tiene cátedra en la Universidad de Puerto Rico el director de la Biblioteca Románica Hispánica, y ni por ésas... Cuando don Dámaso Alonso, gloria de España y autor de los "sobrecogedores" versos de *Hijos de la Ira,* pasa por las calles de San Juan, que todavía son estrechas y románticas y españolas nadie dice: "Ahí va un poeta." Y no pido que digan "Ahí va un filólogo", porque sería mucho pedir.

El gran poeta don Dámaso Alonso, que "llegó a Rubén Darío con retraso y salió de él gracias a la ascética humildad del verso de Machado", vino aquí a enseñar, y sólo le pide a la bien ganada gloria un poco de intimidad y otro poco de descanso cuando sus sobrecargadas tareas universitarias se lo permiten.

La Academia de Artes y Ciencias de Puerto Rico agasajó humildemente al doctor Selman A. Waskman, premio Nobel de Medicina, y al doctor Dámaso Alonso, gloria de España y de la Hispanidad, el primer académico correspondiente en Estados Unidos y el segundo en la Madre Patria.

Hoy quiero comentar la jugosa "charla" informal que don Dámaso Alonso ofreció a la Academia de Artes y Ciencias de Puerto Rico.

He usado la palabra *charla* con cierto repelo. Ya no es voz de charlatanes ni de charladores y se va apartando cada vez más del hablar mucho sin sustancia o fuera de propósito.

Debo decir aquí que la Real Academia Española ha remozado la palabra charla. Además de sus acepciones peyorativas tiene ya literaria acepción: "Género literario cultivado principalmente por el escritor Federico García Sanchiz, y que consiste en una pieza oratoria de carácter puramente artístico, en la que se evocan con vivo colorido personajes, sucedidos, paisajes y ambientes, todo ello en un tono moderadamente lírico."

La charla sustanciosa y rica de propósitos de don Dámaso Alonso, vino, como diría nuestro poeta Luis Lloréns Torres, "derechamente a su derechura". Quiero decir que el distinguido académico correspondiente de la Academia de Artes y Ciencias de Puerto Rico se fue "derechito al grano" y no se paró en remilgos. Como decimos aquí, "nos cantó las verdes y las maduras". Digo este "como decimos aquí" con cierto recelo, pues como advertía Unamuno, cuando un hispanoamericano dice "como decimos aquí", se dice casi siempre allá, en España.

Yo, humilde comentador de la admirable *charla*, estoy ahora en aprietos. No puedo citar con fidelidad a don Dámaso Alonso porque no tomé notas. ¡Quién diablos puede sentarse frente a un Dámaso Alonso armado de lápiz para "cogerle" la palabra!

Dios quiera que mi flaca memoria disimule su flaqueza.

Conocí a don Dámaso Alonso en el memorable Congreso de Academias de la Lengua celebrado en Madrid en 1956. En 1964 tuve el privilegio y el honor de saludarlo en Buenos Aires. Y guardo sabroso recuerdo de la inolvidable ocasión. Un día se me acercó el distinguido académico español y me dijo, sabrá Dios con qué elocuentes palabras, algo que deslustrado por mí, viene a parar en lo que sigue: "Le traigo un recuerdito de la Delegación de España." El "recuerdito" era nada menos que *Cuatro poetas españoles* (Garcilaso-Góngora-Maragall-Antonio Machado), con amable dedicatoria.

El recuerdito es tesoro.

Un *apuntador* sin notas es la cosa más ociosa del mundo. Apuntar de mi flaca memoria es más difícil que buscarle tres pies al gato. Y no porque no recuerde lo que dijo admirablemente don Dámaso Alonso en su *charla* mencionada en la "columna" anterior, sino porque me falta palabra para comentar lo que dijo en sabrosa prosa castellana todo un maestro de la palabra.

Dicho el palabreo, que no es otra cosa que compás de espera o muletilla de quien no sabe por dónde empezar por ser muchas y excelentes las ideas que piden la palabra, saco fuerzas de flaqueza. Y así de flaca será la "columna"...

Ya quisiera yo salir a la calle en esta ocasión con primores de estilo. Pero este linaje de estilo periodístico sólo se da en algunos escritores privilegiados: Azorín, Dámaso Alonso, Pemán...

"Entrando en materia", como dicen algunos conferenciantes "finodos", digo que Dámaso Alonso le dio poética emoción a lo que el filólogo nos contó. Después de hablar someramente sobre la "explosión demográfica" de los países de la América Hispana y del brillante porvenir que les espera, don Dámaso Alonso nos habló con la emoción del poeta y la ciencia del filólogo, como ya tengo dicho, de su sonora lengua española, que es la nuestra.

Los encantados, no embelecados, oyentes de la Academia de Artes y Ciencias de Puerto Rico siguieron con no poca fruición a Dámaso Alonso en sus viajes lingüísticos, o en lo que me parece más apropiado en sus amorosas correrías por tierras hispanoamericanas. Y desde España, pasando por Argentina, Chile, Bolivia, Costa Rica, Guatemala..., el poeta de la lengua nos llevó nada menos que a Nuevo Méjico, Estado español de Estados Unidos. Y allí, según nos contó, trepó escaleras de mano, atravesó azoteas, volvió a lo mismo, hasta que dio en oscura habitación, que era cocina. Y allí una india muy vieja le dijo: "Buenos días, señor", en el más puro castellano. Grande fue la emoción del académico español. Y en nosotros no fue menos.

A Puerto Rico vino a dar, desde luego. Y nos dio la miel en la hojuela. Nos dijo el conferenciante (y aquí me falta palabra para el que dice charlas líricas o charlas enjundiosas o charlas lingüísticas) que el hombre de la calle de Puerto Rico habla buen español, amén de los vulgarismos, que son, desde luego, inevitables. Nos dijo además que en los periódicos, al lado de artículos escritos en elegante y perfecto castellano ha visto artículos muy bien pensados, pero en horripilante calabriada de blanco y tinto.

Le echó la culpa a los malos traductores y especialmente a los traductores de algunas agencias internacionales que usan muy poco el diccionario y salen del paso con palabrotas. (Salieron de mi pluma la "horripilante calabriada de blanco y tinto y las palabrotas".)

Con todo, el gran filólogo español, que es director de la Biblioteca Románica Hispánica y miembro de la Comisión de *Diccionario de la Real Academia Española,* nos dijo que el español de Puerto Rico es el español de América que más cerca está de sus orígenes.

Y en llegando aquí y pasando de lo grato a lo menos grato, el gran filólogo español nos puso el dedo en la llaga. Por eso dije "en puertorriqueño" que nos había cantado las verdes y las maduras.

Con mucho entusiasmo nos habló el ilustre académico español sobre la Comisión Permanente de la Asociación de Academias de la Lengua Española que dirige en Madrid, en la misma Real Academia Española, el distinguido filólogo argentino don Luis Alfonso.

Esta es una Asociación de todas las Academias del mundo hispánico. Todas las Academias (la de Madrid, la de Buenos Aires, la de Bogotá, la de Caracas...) tienen voto. Y no es menos voto el de Costa Rica que el de España.

En los Congresos de Academias de la Lengua Española (ya se han celebrado cinco: el primero en Méjico, el segundo en Madrid, el tercero en Bogotá, el cuarto en Buenos Aires, el quinto se celebró en Quito) se legisla, en la Comisión de

Academias de la Lengua se estudia y se organiza lo que el Congreso aprueba. Finalmente la Real Academia Española le da esplendor.

Puerto Rico no pertenece oficialmente a la Asociación de Academias de la Lengua porque no ha ratificado el Convenio Multilateral de Academias, firmado en 1960 en Bogotá.

¿Puede el Estado Libre Asociado de Puerto Rico ratificar el Convenio Multilateral de Academias?

Y si no lo ratifica, ¿quedará nuestro país completamente aislado del mundo hispánico?

¿Pasará en lo futuro sin tocarnos la sonora corriente de la lengua española?

Siguiendo el hilo de la charla de Dámaso Alonso y para aclarar lo que quedó un poco oscuro en la "columna" anterior, cito la carta que en 1965 me escribió el distinguido filólogo don Luis Alfonso, que es director de la Asociación de Academias de la Lengua:

"A fines de este año cesan en su mandato los dos delegados temporarios de la Comisión Permanente: don Baltasar Isaza Calderón, de la Academia Panameña, y don Luis Flórez, de la Academia Colombiana. De acuerdo con el sorteo realizado en el Cuarto Congreso de Academias de la Lengua, corresponde que los reemplacen los delegados de la Academia Guatemalteca y de la Academia Puertorriqueña, a las que tocó los números 3 y 4, respectivamente.

"Esto plantea un problema: El Gobierno de Guatemala ha ratificado el Convenio Multilateral de Academias, firmado en 1960, en Bogotá. El Gobierno de Puerto Rico no lo ha hecho aún. La Comisión Permanente entiende que la representación en ella es la consecuencia del Convenio y que ésta es en realidad la base jurídica de la Asociación de Academias. En otras palabras: los miembros de la Comisión deben pertenecer a Academias de países que hayan ratificado y puesto en vigor el Convenio de 1960. Con el objeto de evitar inconvenientes he escrito ya a don Samuel Quiñones para pedirle que trate de obtener, lo antes posible, la ratificación del Gobierno de Puerto Rico. Dada la posición que ocupa y el indudable ascendiente que posee, creemos que no será difícil para él conseguirlo en breve lapso. En vista de la importancia de este asunto ruego a usted que, por su parte, hable con don Samuel Quiñones en el mismo sentido...

"Reciba usted un cordial saludo de su amigo y devoto admirador."

El Convenio Multilateral de Academias no fue ratificado, cosa muy de lamentar. Con todo, el delegado de Puerto Rico, don Ernesto Juan Fonfrías, fue cordialmente recibido en Madrid.

No sé si la ratificación del Convenio ha sido demorada por impedimentos de índole jurídica o política. La política es hoy de una manera y mañana de otra. Los Gobiernos pasan y los políticos con ellos, pero la lengua, a pesar de su constante crecimiento y transformación, es duradera. La lengua se queda, los políticos desaparecen.

Y la lengua, como ya se dijo con muchísima elocuencia, es "la sangre del espíritu". Y es, además, el agente aglutinante de más de veinte pueblos que no siempre tienen el mismo orden político.

Nuestro país, que con aragonesa tozudez y admirable devoción ha conservado su idioma español, no puede perder ni su voz ni su voto en los Congresos de Academias de la Lengua ni en la Comisión Permanente de Academias de la Lengua.

No debemos quedarnos rezagados, completamente ajenos al crecimiento lingüístico y a los problemas que el crecimiento trae.

En hermosa y sencilla prosa castellana Dámaso Alonso nos dijo lo que ya tenía poéticamente dicho en su bello soneto:

HERMANOS

Hermanos, los que estáis en lejanía
tras las aguas inmensas, los cercanos
de mi España Natal, todos hermanos
porque habláis esta lengua que es la mía:
Yo digo "amor", yo digo "madre mía",
y atravesando mares, sierras, llanos,
—oh, gozo—con sonidos castellanos,
os llega un dulce efluvio de poesía.
Yo exclamo "amigo", y en el Nuevo Mundo,
"amigo" dice el eco, desde donde
cruza todo el Pacífico, y aún suena.

Yo digo "Dios", y hay un clamor profundo;
y "Dios", en español, todo responde,
y "Dios", sólo "Dios", el mundo llena.

En un discurso que Dámaso Alonso le dedicó al gremio de libreros de Madrid dice elocuentemente: "Y decidme, libreros, editores, autores, ¿habéis pensado cuán maravillosa es la pluralidad de las lenguas? ¡Qué hastío el mundo si tuviera un solo hablar! Adiós, tierno aprendizaje de lo extraño, primeros pinitos por entre la fonética diversa, susto y chiste de nuestras equivocaciones, sazón y especiería de los viajes; adiós, las traducciones, la transvasación, el flujo y reflujo de las culturas; adiós, la diversidad del mundo, sus matices, su cambiante coloración, su historia. En cambio, un aburrido mundo monótono, un océano tranquilo, igual, sin corrientes, sin estaciones, sin vaivenes de temperatura. La igualdad absoluta no se da en la vida, y es lo que más se parece a la muerte."

Dicho así un poco a la buena de Dios y otro poco con palabras manoseadas y debilitadas por la crónica social y los discursos almibarados, Puerto Rico tiene "deuda de gratitud" con el gran poeta español Dámaso Alonso.

Lo que sucedió en la Comisión para la Defensa del Idioma del II Congreso de Academias de la Lengua celebrado en Madrid en 1956 lo cuenta admirablemente Dámaso Alonso:

"Don José S. Alegría empezó a leer su ponencia. En aquella sala estábamos reunidos los que formábamos la comisión para la 'Defensa del Idioma', del II Congreso de Academias de la Lengua.

Según avanzaba don José por su lectura, se le nublaba la vista y a cada momento le temblaba más la voz. Una honda emoción nos embargaba a todos.

Es el escrito que tienes ahora, lector, entre las manos. En él se narra de qué manera heroica los hijos de Puerto Rico han sabido defender su lengua, nuestra lengua. En esa isla maravillosa ha sido donde ha estado en más peligro que en parte alguna (salvo en las Filipinas). La decisión de los puertorriqueños, su entusiasmo y su constancia han sabido salvar el idioma de sus padres. Pero ¿venceremos así en todos los frentes?

Estábamos allí reunidos, en una sala de la Real Academia Española, además del puertorriqueño que leía, un uruguayo, dos centroamericanos (uno de Nicaragua y otro de Costa Rica), un colombiano, un ecuatoriano, dos argentinos, un filipino, un chileno y tres españoles (un valenciano, un andaluz y un castellano de raíz gallega). Algo común a todos, algo muy amargo y muy dulce nos apretaba el corazón, nos hormigueaba en las comisuras de los párpados. La voz de don José se quebró, al fin. La emoción no le dejaba continuar... Terminé yo—como pude—la lectura de su escrito."

Nadie o casi nadie conoce en Puerto Rico este admirable "gesto" de don Dámaso Alonso. (Uso aquí en gabacho la voz "gesto" porque la concisión lo pide.) Dámaso Alonso no sólo continuó la lectura del discurso de don Pepe Alegría, como le llamábamos los que le queríamos y le admirábamos, sino que le puso prólogo, admirable prólogo, y luego lo publicó en "Ediciones Iberoamericanas, S. A.", Madrid, Eisa, España.

Don Pepe Alegría trata en su ponencia sobre tema que le preocupa mucho a Dámaso Alonso: la unidad del idioma. Opina el filólogo español que ya es antigualla el lema de la Real Academia Española: "Limpia, fija y da esplendor", pues lo que verdaderamente importa ahora es la unidad del idioma. "Unidad idiomática, ésa debe ser nuestra principal preocupación."

"¿Qué esplendor?—pregunta Dámaso Alonso—. Señores, no se trata de esplendor alguno, sino de evitar que dentro de pocas generaciones los hispanohablantes no se puedan entender los unos a los otros. El problema que tenemos delante no es el de dar 'esplendor', sino el de impedir que nuestra lengua se nos haga pedazos."

Pero Dámaso Alonso no es enemigo del extranjerismo útil que se adapta a la fonética y a la índole de nuestro idioma. "Bienvenida una impureza, un extranjerismo, si se adapta bien a nuestras costumbres fonéticas y todos los hispanohablantes lo adoptamos a una."

Las luchas políticas, o, mejor dicho, "la exacerbación nacionalista", que es, según Dámaso Alonso, sumamente peligrosa en materias de lenguaje, odia el extranjerismo aunque sea "significativo y honesto". "En Italia, en la época del fascismo, el interés estatal se concentró, sobre todo, en la lucha contra el extranjerismo."

Lo que verdadermente es contrario a la unidad del idioma es que aquí se diga parquear, allá estacionar y acullá aparcar, y que en España y también en Argentina, Bolivia, Ecuador, Méjico, Paraguay y Uruguay se diga volante, y en Colombia, Cuba, Guatemala, Nicaragua y Perú se diga timón y en Chile manubrio. (En Puerto Rico se dice guía y volante.)

Dámaso Alonso cree que es necesario "partir del actual *statu quo,* es decir, de la manera como se habla actualmente el castellano por la sociedad culta de cada uno de los países de nuestra comunidad idiomática. Con todo, no se debe luchar contra las pequeñas diferencias existentes, sino admitirlas, como usos nacionales, dentro de nuestra comunidad internacional".

Está, desde luego, opuesto al vulgarismo; no a los giros propios de cada país, ni como ya tengo dicho, a los extranjerismos cuya fonética y morfología sean normales en castellano.

Dámaso Alonso presidió en Buenos Aires el Segundo Pleno del Congreso de Academias de la Lengua. En ese pleno se discutió una ponencia relacionada con el voseo.

El distinguido filólogo español opina que tanto en Argentina como en las otras zonas donde existe, debe mantenerse el voseo tal como se practica en medios ocultos.

Cuando el Congreso de Academias de la Lengua consideró la ponencia sobre el voseo, todo Buenos Aires estaba con el oído en tierra. ¿Querían arrebatarle los académicos su modo peculiar de expresión?

El pueblo le preguntaba a todo el que tenía cara de académico: "¿Es cierto que legitimaron el voseo?"

Pero no se trataba de éso, sino de levantar un mapa del voseo.

15 al 19 de marzo de 1968, *El Imparcial,* San Juan P. R.

¡QUE VAINA!

¡QUE VAINA!

Desde que la voz vaina se desprendió del latín "vagina" anda tan rezongona cuan displicente, entre Scila y Caribdis, dando tumbos semánticos y morfológicos, unas veces como sustantivo y otras interjección. Tanto es así que según Lenz no es parte de la oración, sino un fragmento de la oración, y según la Academia, además de ser parte de la oración, generalmente es una oración completa.

El principal oficio de la vaina española es guardar la espada y las semillas de la judía, aunque Malaret afirma que ha oído en España la voz vaina por molestia, jeringa, etcétera, pero en América, remozada, se sale de madre como los ríos revueltos y sirve con frecuencia para desahogos de mal genio: ¡Qué vaina!

Plinio usaba la voz vaina ("vagina") con acepción más etimológica: envoltura. "Corpus velut animas vagina." (El cuerpo es como la envoltura del alma.) La traducción literal de este pasaje clásico es una perfecta vaina: "El cuerpo es como la vaina del alma."

La vainilla que encierra el grano de trigo era para los latinos "vagina frumenti". La "vainilla fragans" es la más aromática de las vainas, y es de América, como el chocolate.

Lector, si sientes la comezón de decirme: "Bueno, ¡basta ya de vainas!", allá tú, con tu pan te lo comas. Pero te prometo sabrosísimas vainas, como la siguiente, que es colombiana: "Antes que agradecerme me echó un centenar de vainas", y otras no menos sabrosas que se irán viendo en el curso de este artículo tan rico de vainas.

En el "Diccionario de autoridades", la vaina todavía tiene el recuerdo de su origen latino: "La casa o funda en que se encierran y guardan o que cubren algunas cosas, como espadas, puñales... Corteza tierna, y larga en que están encerradas algunas legumbres, como judías, habas, etcétera".

La vaina del Diccionario moderno (19ª edición) tiene interesante acepción figurada y familiar: "persona despreciable", y un derivado que parece salido de un sainete cómico: vainazas: "persona descuidada y desvaída".

En América, como ya tengo dicho, la vaina aplebeyó su sentido por contagio semántico, influida por una interjección muy española transformada en el candoroso eufemismo " ¡caracho!" por los que hacen asombro de cualquier inocentona palabrota. Es de notarse que la interjección española figura con todos los pelos y señales en las "Apuntaciones"... del colombiano Roberto Restrepo, casi pidiendo asilo en el "Diccionario de la Lengua Española".

En un número viejo del "Boletín de la Academia Colombiana" leo interesante consulta que viene aquí al pelo. Dice el académico don Joaquín Piñeros Corpus: "Me permito rendir informe sobre la comisión que me fue confiada para estudiar la siguiente consulta que desde Medellín envió el señor Oscar Hernández Botero: 'Las expresiones " ¡ah, vaina!", " ¡qué vaina!", " ¡esa es una vaina!" y algunas similares, ¿están en realidad admitidas como castellanas o son modismos vulgares inaceptables?'."

El académico don Joaquín Piñeros Corpus dice en su informe: "... se puede esperar que con el tiempo se realice el paulatino tránsito de lo vulgar a lo culto por medio del uso. Eso quizás ha sido el intento de un homónimo del consultante (o quizás el consultante mismo) que en el libro 'Habitantes del aire' incluyó una composición poética con el título 'Satisfacción', que así dice:

Qué vaina ésta de las dos y las tres
y de las cuatro;
y el rojo, y el azul, y el amarillo

y, sobre todo, qué horrible y negra vaina
¡trabajar!
. . . .
Qué vaina ser uno mismo a todas horas
pero peor sería
estar en el pellejo de un vecino
que usa pantuflas y medio diente de oro
y asiste a reuniones.

"En verdad —comenta don Joaquín— el uso muchas veces ha redimido de onerosos significados o limpiado de feas máculas a ciertas palabras que hoy circulan airosamente por los caminos del idioma."

El juez Iram E. Cancio, de la Corte de Distrito de EE.UU., en Puerto Rico, me envió hace algún tiempo una interesante y bien escrita opinión sobre una vaina "jurídica" que se le escapó al juez de un tribunal del Estado Libre Asociado:

"No colega; aquí se ha expuesto una teoría por la defensa en el sentido de que el acusado ha venido con un padecimiento que se arrastra a daños anteriores y disociación y vainas..."

Como es natural, el abogado defensor "se agarró" de la vaina y armó un lío de padre y muy señor mío por vainas de más o de menos.

Antes de redactar su opinión, el juez Cancio frecuentó los complicados caminos de la lexicografía y de la semántica. Y con muy buen sentido semántico y jurídico se dejó de vainas y desestimó el recurso de apelación.

Pero hay más en América. En Puerto Rico se dice a lo socarrón: "Fulano toma el mundo por vaina", que es lo que hacen algunos políticos para bien pasar y mejor yantar.

En Panamá la voz vaina es expresión muy frecuente para insinuar algo incómodo, desagradable o simplemente divertido. ¡Déjate de vainas! ¡Esto es una vaina! (Isaza Calderón y Alfaro en "Panameñismos".)

En el siguiente pasaje la voz vaina está usada por majadería: "El plebiscito ese es una vaina. Todo el mundo sabe que ganarán los populares." ("El Mundo").

La voz vaina no siempre significa pejiguera, molestia, jeringonza y otras cosas semejantes. En el pasaje siguiente vale cosa, rareza, extravagancia:

"Pero por una de esas vainas de los periodistas..."

Al sustantivo cosa le han salido muchas vainas, digo, usos. Poquita cosa, según la Academia, es la persona débil en las fuerzas del cuerpo y del ánimo, o sea: un vainaza. Con la locución "cosas del mundo" se alude a las alternativas y vicisitudes que ofrece la vida. La locución "como quien no quiere la cosa" significa con disimulo, suavemente, como si no se quisiera conseguir aquello que se apetece. "Cosas de" se usa para explicar o disimular las rarezas o extravagancias de alguna persona.

¡Cosas de periodistas y... de vaineros!

DE LOS NOMBRES DEL COQUI, CANTOR NOCTURNO DE PUERTO RICO

DE LOS NOMBRES DEL COQUI, CANTOR NOCTURNO
DE PUERTO RICO

¿Sabe alguien lo que es el coquí? ¿Es sapo, duende, sapo-rana, insecto, reptil, anfibio? Ni sapo, ni duende, ni sapo-rana, ni insecto, ni reptil, ni anfibio. El coquí es un señor eleutero-dáctilo. El elemento eleutero (del griego "eleútheros", libre), entra en la composición de algunos compuestos latinos y castellanos: eleuterodáctilo (que tiene los dedos libres); eleutero-fobia (horror a la libertad); eleuteromanía (manía de la libertad).

Bien viene aquí que Eleuterias eran las fiestas de la libertad que los griegos celebraban en honor de Zeus (Júpiter). Tam-bién se llamaban Eleuterias las fiestas celebradas en Siracusa en memoria de la expulsión de los tiranos. Eleuteria es el gobierno libre de un Estado independiente.

Porque, por evolución, el coquí perdió la membrana nata-toria mereció el nombre griego de la libertad, aunque sólo tiene libres los dedos. El coquí no sólo frecuenta rigurosas provincias de la Ciencia, donde goza de justa fama; también armó rebullicio y vocerío en la no menos rigurosa Real Acade-mia de la Lengua Española. Nuestro batracio, pues es batracio, llegó a la docta corporación con la carta de recomendación de mi ponencia "Observaciones críticas a algunos americanismos que figuran en los diccionarios de la Real Academia Española", aprobada en el Congreso de Academias de la Lengua celebrado en Buenos Aires en 1964.

La Academia lo recibió con el nombre de su nacimiento y origen, que es el que más le conviene y agrada, pues lo pregona y canta con sorprendente y limpia claridad cuando la quietud y el sosiego de la noche convienen. Y tengo para mí que fue admitido en 1967 con la adhesión fervorosa de los académicos Gerardo Diego, Samuel Gili Gayá, Guillermo Díaz Plaja, Dámaso Alonso, Julián Marías, José María Pemán, Rafael Lapesa, Pedro Laín Entralgo, Joaquín Calvo Sotelo, Luis Rosales..., que han oído con gran sorpresa el onomatopéyico canto, tan característico de la noche puertorriqueña.

El coquí, que se salió del agua para vivir en las bromelias, no es palmeado, no tiene membrana natatoria entre los dedos de los pies y manos. "Es arbitrario clasificarlo como anfibio —dice Karl Schmidt—, pues no pasa por la etapa de renacuajo." Y por esta característica, que comparte con todos los eleuterodáctilos, es famoso, como luego se verá.

"Esta especie es realmente famosa —dice Karl Patterson—, pues sus huevos y embriones fueron la base del artículo de Peters, quien descubrió el desarrollo directo"; pero fue don Domingo Bello y Espinosa, abogado canario que vivía en Mayagüez, el primero que observó el desarrollo en el huevo. A los canarios, pues, les debemos el vocabulario de la industria del azúcar (cachaza, guarapo, trapiche...) y la fama científica de nuestro coquí.

El coquí ha tenido muchos nombres. Erróneamente los herpetólogos lo llamaron "Hylodes martinicensis", nombre que corresponde a la especie de las Antillas menores. También lo llamaron "Eleuthedactylus auriculatus", nombre que corresponde a la especie de Cuba. Pero cada especie tiene su canto. Sólo nuestro coquí dice coquí, coquí.

Patterson le dio su verdadero nombre científico: "El nombre que propongo ahora ('Eleutherodactylus portoricensis') para esta especie tan conocida y bien definida se basa, sin embargo, por primera vez, en especímenes puertorriqueños". El distinguido herpetólogo doctor Juan A. Rivero, del Recinto de Mayagüez de la Universidad de Puerto Rico, afirma que hay dos especies: "El Eleutherodactylus coquí", cuyo canto es muy lento, y el "Eleutherodactylus portoricensis", que sólo vive en las montañas y tiene el canto más rápido.

El coquí figura en los diccionarios casi siempre maltratado y mal definido. Veamos: "Coquí: en Cuba y Puerto Rico, el anfibio 'anuro Hylones martinicensis'. Es pequeño, con una línea blanca sobre el dorso; propio de los lugares pantanosos, produce un canto monótono que parece un chirrido".

Esta definición, de una excelente enciclopedia, es inexacta. El coquí no es de Cuba, no es anfibio, no es propio de los lugares pantanosos, aunque le gusta la humedad (vive en los árboles, pone los huevos en las bromelias. Los anglohablantes llaman "tree frogs" a los eleuterodáctilos). El coquí no "produce un canto monótono que parece un chirrido". El nombre científico no es "Hylodes martinicensis". Como diría Cuvier: "... con estas solas excepciones, la definición es de una admirable exactitud".

Sorprendemos ahora al coquí en su natural hábitat. Subimos jadeantes la cuesta de La Catalina, antesala del Yunque, que es donde el coquí está más a gusto. El camino serpentea agreste y monótono. A poco andar descubrimos sorprendente paisaje marino en el regazo húmedo de la montaña. Se oye la canción del mar, se percibe su fresca fragancia, pero todo es ilusión y engaño. El mar, lámina ondulante, se despereza lentamente en la lejanía. Pero súbitamente el tibio sol rasga la niebla y asoma su cara rechoncha de sacristán de parroquia grande. Despierta la selva y los árboles viejos y los árboles nuevos surgen de la neblina con los troncos cubiertos de verdeante y húmedo musgo. A lo lejos, entre nubes despavoridas, se levantan los picos calcáreos del Yunque como senos triunfales.

Comenzamos a bajar perseguidos por el aullante silencio. Oscurece. Se oye un tímido coquí; le sigue un simpático resonador y ¡oh! maravilla, un coro grandioso de millones de voces aflautadas y cristalinas rompe el silencio de la noche naciente. Parece cosa de magia. Coquí, coquí...

En "Elogio del coquí", dice el distinguido escritor y diplomático español don Ernesto La Orden Miracle: "Terminó de llover, y era de noche, y los coquíes empezaron a cantar. Eran cientos, millares, quizá millones, y modulaban en concertado desconcierto las dos o tres notas mágicas de su flauta de cristal: ¡Coquí, coquí, coquí!; Gerardo Diego estaba fascinado y ha contado después sus impresiones, su éxtasis de poeta y de músico ante aquella increíble sinfonía puertorriqueña."

¿SON AMERICANOS LOS AMERICANISMOS?

¿SON AMERICANOS LOS AMERICANISMOS?

Todas las voces acuñadas en América de acuerdo con la índole del idioma español pertenecen al acervo de la lengua común. Son voces españolas nacidas en América.

Es cosa sabida que no pocas voces que se tienen por americanas son sólo variantes fonéticas vulgares de palabras españolas. Bien dice Navarro Tomás que los "... cambios fonéticos hacen que una misma palabra llegue a veces dentro de un mismo país a producir formas tan distintas entre sí que puedan parecer diferentes".

Con sobrada razón dice don Miguel de Toro y Gisbert en "Americanismos": "Muchos americanismos son más viejos que el Cid en España; algunos arcaísmos tienen una vida muy provechosa en América; un sinnúmero de puertorriqueñismos que nos causan cierta sonrisa burlona son provincialismos en Andalucia".

Algunos doctos que escriben vocabularios puertorriqueños con más gravedad que Perico en la horca, tienen por puertorriqueñismos no pocas voces que nos trajeron los primeros pobladores andaluces y los que llegaron después: jeringonza, denguno, juma, peinilla, chavo, golpetazo, sosquineao, lapachero, revendón, zafado, jipío macancoa (macacoa), naiden, desinquieto, escular (sólo se usa en la frase "El que esculca yaguas viejas siempre encuentra cucarachas"), escupidera (bacín), garata, paláustre, y antes quito que no añado.

El adjetivo "estrasijado", que se tiene por puertorriqueñismo, es el español "trasijado" alterado por prótesis. Desmelenarse pierde la "d" inicial y queda en "esmelenarse". "Se esmelenó llorando", dice el jíbaro a lo socarrón. Esmelenarse, así decapitado, parece burlarse del llanto ridículo de Magdalena sin arrepentir.

Para el lingüista tanto monta la voz pura como la mal formada. Y en esto se parece al hombre de ciencia que ve con el mismo interés los organismos que intervienen en la producción del queso, el alcohol y el pan, y los que causan la viruela, la sífilis y la tuberculosis.

La voz chiquero, que figura en un sonado vocabulario de puertorriqueñismos, significó primitivamente "recinto o corral", en términos generales, y procede del mozárabe (siglo XIII). Se usa en España, Cuba, Colombia, Venezuela, Canarias, Santo Domingo y Brasil (chiqueiro).

Con frecuencia hablo después de las juntas de la Academia de Artes y Ciencias de Puerto Rico con el distinguido acuarelista canario don Guillermo Sureda, "cantor pictórico de Puerto Rico", sobre el notable intercambio de voces canarias y puertorriqueñas entre su tierra y la mía.

La voz aguaviva, que nos parece tan puertorriqueña, se usa en Canarias y en Andalucía. Me escribe el doctor Manuel Ambite, desde el pueblo de Vallecas, comentando mi artículo "Cuatro voces pintorescas de Puerto Rico", publicado en ABC, que en las costas de la provincia de Murcia y algunas de Alicante a la aguaviva (medusa) se le da el nombre de aguamala. "Una muestra más de la variedad y riqueza de nuestro idioma común", dice el doctor Ambite.

Bien viene aquí que en las zonas costeras de Cádiz y Huelva llaman aguacuajada a la medusa. En verdad que el pueblo tiene virtud y gracia para remudar vocablos y el escritor para remozarlos.

A las Islas Afortunadas les debemos la industria del azúcar. "Es de suponer —dice Navarro Tomás— que el vocabulario del azúcar se formaría principalmente en Canarias con elementos de la tradición árabe-andaluza, como mijarra, tiro de trapiche, guarapo... El sello lusitano de chumacera, hornalla, remillón y tacho, juntamente con cachaza y cachipa, obedece a la proximidad, comunicación y semejanza de cultivos entre Canarias y la portuguesa isla de Madera."

También le debemos a Canarias el deporte de los gallos con sus pintorescas voces y expresiones: valla, búlico, canabüey (canagüey), golpe de hoya, tiro de buche, etcétera.

No se me oculta que entre Canarias ý Puerto Rico hubo saludable transculturación. En América nacieron las voces caracolillo, periquito, guachafita, camorra, jaleo, vacilar, vacilón, guagua (autobús), etcétera, adoptadas por Canarias.

Los canarios que llegaron a Puerto Rico en el siglo XVIII con la casa a cuestas (quiero decir con toda la familia: los sirvientes, los muebles y hasta el gato y el canario) llevaron luego a las islas nuestra guagua, amén del vacilón y la pintoresca guachafita. Y nosotros nos quedamos con el sabroso gofio (voz de origen guanche), que mejoramos endulzándolo, y con las expresivas voces enjillío, acortejarse, barrunto, virazón, timple (tiple), jalarse, etcétera.

No pocas voces vulgares que todavía no han logrado boleta de sanidad pasaron de un país a otro. Es de notarse que los que escriben sobre correcciones de lenguaje tienen por único modelo el español literario y condenan el habla común de todos los días "que dicen las vendedoras en la plaza". Por fortuna hay, entre el habla culta y el habla popular, saludable ósmosis y endósmosis lingüística que evita el fatal estancamiento del lenguaje literario y la lamentable corrupción del lenguaje popular.

En cierto vocabulario puertorriqueño de un distinguido intelectual muy autorizado de Universidades, figuran no pocas voces españolas que están catalogadas en el "Diccionario de Autoridades" y en el "Diccionario histórico" de la Real Academia Española. La voz aburar (importunar, golpear), por ejemplo, que figura en el "Diccionario de Autoridades" (1726), fue admitida en la literatura durante el siglo XVI.

También pasan por puertorriqueñas en el mismo vocabulario, numerosas locuciones y refranes españoles muy castizos:

"A la mala hora no ladra el perro", "A hora mala non

ladran canes", "Estar de lo vivo a lo pintado", que figura en "La Celestina".

"Lo he dicho cien veces —dice Unamuno—: de cada veinte voces que un hispanoamericano, al citar una voz o modismo, añade, "como decimos acá", las dieciocho es algo que también aquí se dice. La mayoría de los americanismos no son sino españolismos."

Casi todos los vocabularios de puertorriqueñismos son en rigor reducidos léxicos de voces que pasan por hispanoamericanas (provincialismos de Castilla, Canarias y Andalucía), indigenismos y no pocos arcaísmos supervivientes en América.

Debe decirse aquí, porque es éste su lugar, que el lenguaje puertorriqueño es rico en modismos, locuciones y frases ingeniosas, hechas con la misma tela de los modismos castellanos recopilados por Ramón Caballero, y el mismo paño de los refranes que dicen las viejas tras el fuego que ordenó, por orden del Rey don Joan, don Iñigo López de Mendoza.

SAUDADES, SUSPENSOS Y SUSPENSIONES

SAUDADES, SUSPENSOS Y SUSPENSIONES

En junta de mayo-octubre de 1970 la Real Academia Española admitió dos sabrosos frutos del cercado ajeno:

Saudade (del port. saudade) f. Soledad, nostalgia, añoranza.

Saudoso (del port. saudoso) f. Soledoso, nostálgico, añorante.

La voz saudade que además de ser muy portuguesa, "es de Lope", figuraba en la magnífica *Enciclopedia del idioma de Alonso*: Saudade. f.s. XVI y XVII. Soledad... // 2.s. XVI al XX. Deseo de poseer el bien ausente.

En *Arte de componer en lengua castellana* dice don Clemente Cortejón: "Con ser misterioso el encanto del término soledad, como es de ver en aquellas palabras de Santa Teresa: '... le pago bien la soledad que dice tiene de mí... la falta de Juan de la Cruz me causa soledad'; antójasenos, sin embargo, que el saudade de los portugueses y la inefable añoranza de los catalanes vencen por lo hermoso y dulce de su expresión el vago eco que deja en el alma el vocablo soledad".

Nacen las palabras saudade y saudoso del mismo tronco latino de las palabras españolas solo, soledad (añoranza), soledoso (que siente añoranza), solitario, etcétera y solideo (del lat. soli Deo, a Dios sólo, porque los sacerdotes se lo quitan solamente ante el sagrario).

Es de notarse que la palabra soledad tiene en el Diccionario de Autoridades notable correspondencia con la voz saudade de los portugueses: "Se toma particularmente por orfandad, o falta de aquella persona de cariño, y de consuelo; o que puede tener influjo en el alivio, y en este sentido se llama así por excelencia la que tuvo Nuestra Señora en la muerte de su Hijo Santísimo... Contempla la tristeza que la Reina del Cielo sintió en los tres días que padeció ausencia y soledad de su muy amado Hijo".

"Mucha tinta se ha gastado con la famosa 'saudade' portuguesa, que los brasileños han arrebatado para sí como un derecho exclusivo" —dice Alfonso Reyes en *La experiencia literaria*—. Elegario Marianno, enumerando los dones que posee el Brasil exclama:

> *Tem a palavra saudade*
> *que as outras terras nao tem.*

"Saudade —dice fray Jerónimo Gracián— es un fuego que se enciende en la leña del amor, ausencia, deseo, ímpetu, impaciencia, eficacia, tortura, esperanza y temor". (Citado por Díaz Plaja en *Hacia un concepto de la literatura española.)*

Nuestro idioma tiene numerosas palabras para expresar el complicado estado de ánimo que los portugueses llaman saudade: nostalgia, añoranza, morriña, melancolía, soledad, etcétera. El hispanohablante puede, naturalmente, distinguir los matices diferenciales de estas voces significativas y honestas, que se le escapan al extranjero, aunque conozca gramaticalmente nuestro idioma.

Puesto en el apurado trance de expresar con una sola palabra su estado de ánimo, el extranjero puede escoger donde hay abundancia de voces, ésta quiero, ésta no quiero.

La palabra melancolía tiene sus más y sus menos, pero trae del griego y del latín la bilis negra, uno de los cuatro líquidos o humores que según Hipócrates existían en el cuerpo y fuente de toda tristeza.

¿Y la voz morriña, tan gallega y portuguesa, ceñuda e hipocondríaca, siempre con el hocico parado para mostrar su mal humor?

¿Y la sugestiva y exquisita añoranza del catalán enyorar,

que conserva del latín *ignorare* acepciones casi ignoradas:
... no saber dónde está alguno, no tener noticias de un ausente?

Muchos méritos tiene la voz nostalgia, tan abundosa de
ausencia y de dolor.

Pero más encantos tiene la palabra soledad, muy frecuentada de poetas y místicos, que bien puede competir con las
otras en viveza y hermosura. Tiene, además, extraordinaria
virtud porque casi expresa la inexplicable complacencia en la
soledad, el encariñarse con el dolor de ausencia...

Con ser ricas y expresivas las palabras españolas, algo les
falta o algo les sobra. Y todas cojean de algún pie: cuál por
hocicuda, tal por biliosa, ésta por amarga, aquélla por llorona...

Así, después de echar mano, bien de una palabra, bien de
otra, el extranjero se queda a la luna de Valencia, a pesar de su
habilidad gramatical tan autorizada de universidades.

Pero andando en éstas da con el misterioso encanto de la
palabra saudade, gustativa y sonora, que se puede saborear al
pronunciarla, pues habla callando. Y con ser estas virtudes de
mucha consideración, es, además, como síntesis de todas las
voces que se le ofrecieron insistentemente, y expresa cabal-
mente su confuso estado de ánimo: suave melancolía, "soledad
sonora", dulce añoranza, nostalgia, entre dolorosa y apacible,
morriña agridulce, leve desesperanza.

Bien viene aquí que así como los perfumes, la música y los
colores se prenden a las cosas y a los estados de ánimo, así
también las palabras se casan con las emociones y se impreg-
nan de ellas.

Mucha tinta se ha gastado para ponderar o condenar el
anglicismo *suspense*, que fuera de su medio no es más que una
palabrota.

La voz *suspense* figura en la enciclopedia del idioma de
Martín Alonso: "Suspense (ing. ansiedad, indecisión). Cine-
mat. y Teatr. Argumento que crea un clima exacerbado de
angustia y misterio; película suspense. Extranjerismo innece-
sario".

Según dice don Eulogio Palacios en ABC, "*suspense* suena
como nota discordante entre los vocablos castellanos. Pero

muchas personas no se deciden a abandonar esta voz por no hallar otra que signifique lo mismo. ¿Y si dijéramos suspensión?"

Bien viene aquí que suspensión tenía ya en el Diccionario, escondida tras una máscara de pura retórica, asomos de la acepción que tiene el anglicismo *suspense*: "Suspensión. 5. // Ret. figura que consiste en diferir, para evitar el interés del oyente o lector, la declaración del concepto ya encaminado y en que ha de tener remate lo dicho anteriormente".

Eulogio Palacios cita en ABC muchas "suspensiones" de Cervantes, a las cuales me tomo la libertad de añadir las siguientes: "Y no acertó a preguntarle nada, tal vez era su suspensión y embelesamiento" (*Ilustre fregona*). "Pero porque veo la suspensión en que todos estays, colgados de las palabras de mi boca" (*Celoso extremeño*).

Para prolongar la suspensión o el *suspense* de los lectores, he callado hasta ahora lo que más importa. Al fin se canta la gloria... Y es que la Academia, haciendo de un camino dos mandados, con muchísima diplomacia les dio a los americanos nueva acepción de la voz suspenso: y al mundo hispánico, en general, nueva acepción de la voz suspensión, porque así lo pedía el uso, que tiene virtud para dar gracia, pues otra cosa fuera echar la cuenta sin la huéspeda. Y ambas acepciones, la de suspenso y la de suspensión, tienen alguna correspondencia con la acepción retórica que ya tenía la voz suspensión en la decimonovena edición del Diccionario, y en forma menos precisa, en el *Diccionario de Autoridades*:

Suspenso. ... // 4. Amér. Por influencia del inglés suspense, expectación impaciente o ansiosa por el desarrollo de una acción o suceso; úsase especialmente con referencia a películas cinematográficas, obras teatrales o relatos.

Suspensión. 5. En el cine y otros espectáculos, situación de ánimo emocional, generalmente angustiosa, producida por una escena dramática de desenlace diferido o indeciso.

Y así se enriquece el ya numeroso y rico idioma español con palabras que son importantes hoy y lo serán mañana.

LONCHES, LONCHERIAS Y SIMPOSIOS

LONCHES, LONCHERIAS Y SIMPOSIOS

La voz inglesa "lunch" es vulgar sobre intrusa y ajena, pero anda por ahí de boca en boca. Ni siquiera pertenece a la "bon cuisine" ni es propiamente casera. En Puerto Rico sirven el "lunch" en los "comeivetes", que es palabra compuesta muy expresiva.

Con todo, la voz "lunch" no es para cantarle la gala, ni para pedir golosinas en restaurantes rumbosos, ni para adornar las páginas de ABC. Pero me desmienten palabras de santa: "Hasta en los pucheros anda Dios."

Y como una cosa trae la otra y ésta muchas cosas más, me salta en la memoria la "Batracomiomaquia" de Homero y el discurso que un gran tribuno puertorriqueño, Matienzo Cintrón, le endilgó a las piedras de una plaza pública desierta, desde una tribuna pública sin público.

Aquí, muy puesto en razón, me dice un diablillo interior: "Razón de sobra para que escribas sobre la voz 'lunch', que, como dices con doble intención, anda de boca en boca. Hablarles a las piedras es tiempo perdido, porque éstas ya no sienten. Lo dijo un gran poeta. Y basta".

Después de este preámbulo, que tiene la virtud de ser perfectamente inútil, digo que todo el mundo censura la voz "lunch", pero no renuncia al derecho de usarla cuando le da la gana. ¿Por su pegadiza brevedad? Bien dicen que el habla se pega como la sarna.

¿Cuál es el origen de esa palabra tan persistente como ajena?

El lexicógrafo panameño don Ricardo J. Alfaro nos dice en su "Diccionario de anglicismos" que "para algunos es alteración de 'lump'; para otros, derivación de 'lushin'; otros, en fin, le dan como origen la expresión castellana 'las once' y que al pasar de la lengua francesa a la inglesa se transformó en 'lunch'."

"¿Conque esas tenemos? —pregunta el diablillo con malas intenciones—. Derivar 'lunch' de 'las once' es muy duro de tragar."

"Pero ese 'promenade des mots' es frecuente" —le digo ya un poco molesto.

La palabra francesa "bureau", que, según J. Vendryes, "primeramente significaba 'tejido de buriel'; luego, un mueble tapizado con dicho tejido; luego cualquier mueble para escribir; luego la pieza en que estaba colocado el mueble", y que figurará castellanizado (buró) en la próxima edición del Diccionario de la Real Academia Española, tiene origen castellano, según algunos lingüistas. Y es de notarse que la voz taína barbacoa pasó al inglés tranformada en "barbecue". Y el indigenismo, reemplazado por la voz intrusa, desapareció de nuestras zonas turísticas por algún tiempo, pero ya volvió con todo su encanto taíno.

"Ya que tantos alardes haces de tus pocos conocimientos del francés —me dice el diablillo ya mentado—, debes saber que los franceses frecuentan las voces 'lunch' y 'lonchar' y los hispanoamericanos, lonchería y lonchar. Me preocupa también el simposio del título. ¿Qué diablo tiene que ver el 'lunch' con el simposio?"

Me sacudo las impertinencias del diablillo como si fueran moscardones y digo en serio que algunas veces he visto en los periódicos el "lunch box" inglés en lugar de nuestra humilde y casera fiambrera. Bien viene aquí que en Perú dicen "portacomidas", "portaviandas"; en Argentina, "fresquera", como en Chile y en Paraguay. En Cuba dicen "cantina": "Ya llegó la cantina. —A que no adivinan —lo que viene arriba; —a que no adivinan —dónde está el tasajo."

La voz "lunch" tiene ya hecha media jornada, pues goza del favor del público. Pero, ¿para qué apurarse? Tengo por buena sentencia que en el idioma buena es la tardanza que hace la carrera segura. Y éste es uno de los refranes que dicen las viejas tras el fuego, que a ruego del Rey Don Joan ordenó por orden del ABC, don Iñigo López de Mendoza (marqués de Santillana).

Para beneficio del diablillo jeringón, digo que el uso culto puso en circulación el grecismo simposio, que figura en la decimonovena edición del Diccionario académico con breve y escueta definición: "Conferencia o reunión en que se examina y discute determinado tema".

Tengo para mí que algunos doctos amigos del simposio a la griega se dirán bajo su capa: "Invitar ahora a simposio, sin las delicias que en buena ley le corresponden, es como cacarear y no poner huevo, o como invitar a una plática 'sub rosae' sin rosas y sin exoneraciones de estómago".

Y lo dirían con su cuenta y razón, pues el vocablo griego "symposio", como Dioniso-Platón, tiene dos caras: una, dionisíaca, alegre de flautas y rociada del jugo de la vida; otra, serena, austera y socrática. Es, pues, vocablo que, junto con ser alegre, es amigo del discurso sosegado y del diálogo sereno. Con lo cual quiero decir que el simposio español ha perdido la alegría del vivir, y no se diga nada del francés.

Tanto la voz griega como la latina significan banquete, festín, acto de reunirse varias personas para beber en compañía y dialogar con acompañamiento de música y de canto. Pero las voces españolas y francesas han olvidado los placeres anacreónticos y el latino "in vino veritas".

Es de notarse que el idioma inglés conserva las acepciones griegas y latinas. Y en esto se echa de ver, mal que nos pese, que a veces es más griego y latino que los romances. "Symposion", según Webster, vale: "Festín con música y canto que sigue al banquete, donde hay libre discusión de ideas".

Pero a las voces romances les queda el noble diálogo con asomos de la dialéctica de Platón y la mayéutica de Sócrates. Quiero decir que, a veces, el simposio moderno tiene algo de la serenidad helénica avivada por ese soplo de locura (¿poética?) que, según Horacio, le hace falta a la sabiduría. Bien viene aquí que Platón era poeta, a pesar de que destierra a los poetas de su República.

En "El banquete" ("De symposiacus") de Platón, Sócrates se dirige lentamente a la morada de Agatón y llega al fin de la cena, cuando, iniciado el festín, se oye ya la flauta de Pan.

La presencia de Sócrates pone en el festín una nota austera y, a propuesta de Eryxímaco, los comensales acuerdan beber con moderación. Después del retiro de la flautista se inicia el diálogo. ¿De qué hablan estos griegos amigos de Sócrates? Hablan sobre el amor. Lo que aprovecha Sócrates para filosofar acerca del travieso dios hijo de Venus. Y trae a colación el discurso que le dijo un día, muy puesta en razón, una mujer de Mantinea llamada Diotime, que era muy versada en todo lo concerniente al amor y en muchas cosas más.

—¿Por qué es la generación el objeto del amor? —le preguntó Sócrates a Diotime.

Y Diotime contestó que es necesario unir el deseo de lo bueno al deseo de la inmortalidad, puesto que el amor consiste en desear que lo bueno nos pertenezca siempre. La inmortalidad, pues, es también el objeto del amor.

PLURALES ANOMALOS Y FAMILIARES

PLURALES ANOMALOS Y FAMILIARES

Dice Erasmo en el Elogio de la locura que la gramática es suficiente para torturar toda la existencia del hombre.

Es cosa bien sabida que Erasmo puso en boca de la locura por razones harto conocidas, lo que la prudencia rechazaba. Pero hay método en su locura.

"¿Quiere decir esto que deba abandonarse la enseñanza tradicional de la gramática? —pregunta Bally—. De ningún modo; mientras no se descubra cosa mejor, la enseñanza de la gramática será un dique contra lo arbitrario. A pesar de sus imperfecciones, la enseñanza obliga a reflexionar sobre la materia lingüística, lo cual, después de todo, es un comienzo de liberación."

Nada más lamentable que un gramático seco que quiere hacer gracia. Nada más pavoroso que un maestro mnemotécnico que pretende enseñar gramatiquerías con versos malos. Fatigados de versos gramaticales salieron de las aulas muchísimas generaciones de estudiantes.

Hace algunos años la gramática entraba con sangre. Andando el tiempo vino la enseñanza incidental de la gramática, que no ENSEÑABA NADA.

Sirva lo anterior de retozón preámbulo para lo que sigue, que es serio y seco. Y en llegando aquí me hace cosquillas en la memoria sabrosa anécdota que leí hace ya mucho tiempo no sé dónde. Holgábanse maestro y discípulos con no poco provecho, cuando súbitamente se interrumpió el noble ocio.

"Pongámonos serios que ahí viene un tonto" —dijo el maestro— Y todos se enseriaron y se malogró la clase.

Mal que nos pese, pues, le pongo a mi indiscreto retozar, una nota austera. Y digo con más seriedad que Perico en la horca, que la incorporación de voces extranjeras que terminan en consonantes ha creado en el lenguaje vulgar no pocos plurales anómalos y ajenos al tradicional "AS, OS, ES" de los plurales españoles.

Con resistencia que algunos llamarían biológica, aunque esta palabra ya no goza de prestigio entre los lingüistas, el idioma trata de rechazar los plurales vulgares álbums, clubs, robots...

Con todo, el plural incorrecto clubs, aunque es anglicado y por añadidura galicado, prosperó.

Pero es de notarse que en la tabla sobre la formación del plural, dice Vox: "Voces extranjeras forman el plural siguiendo las reglas de la lengua española, frac, hace fraques, lord, lores, cinc o zinc, cines o zines. Hay en ello gran vacilación, segun que la consonante final de la voz extranjera se use o no como final en la lengua española. En las palabras de introducción reciente, existe fuerte tendencia a añadirles simplemente una s: Clubs, complots. Las palabras latinas, como ultimátum, déficit, fiat, exequátur, no tienen plural".

En la excelente obra *El español de hoy, lengua en ebullición*, Madrid, 1966, dice Emilio Lorenzo:

"No tengo noticia de ningún estudio acerca del desarrollo de un nuevo tipo de plural, el de voces extranjeras acabadas en consonante."

Y añade: "Otros grupos, cuyos elementos presentan la misma secuencia en voces plenamente incorporadas al español, si bien de carácter culto, gozan de favor entre los hablantes medianamente esmerados, coñacs, clubs, boers, cocktails, slogans, halls".

Estos pasajes figuran en el libro de Emilio Lorenzo, pero aparecieron en la Prensa española en fechas muy anteriores al 1966.

Y el autor así lo advierte: "Se observará que algunos de

los artículos aquí incluidos fueron publicados en fechas muy anteriores a 1966. Los hemos dejado en su texto original deliberadamente... Tal proceder, como se puede ver, permite advertir cómo algunas tendencias que parecían dominantes hace años (por ejemplo, los plurales de consonante más s) han quedado frenadas o han sido ahogadas por otras más vigorosas (por ejemplo, plurales sin signo morfológico)''.

El plural correcto clubes está ganando la batalla del uso en Argentina. En la ponencia presentada ante el II Congreso de Academias de la Lengua Española, Madrid, 1964, dice don Luis Alfonso: "Acción de las Academias. Estas pueden ejercer saludablemente influencia publicando las decisiones que tomen. Un ejemplo bien ilustrativo lo suministra el uso del plural correcto clubes, que en la Argentina está sustituyendo, por consejo de la Academia Argentina de Letras, el incorrecto clubs".

Es cosa bien sabida que el propósito de evitar la formación de plurales ajenos a la índole del idioma, la Academia castellanizó la voz memorándum, memorando (plural memorandos); carnet, carné (plural carnés); cuplet, cuplé (plural cuplés). Pero la castellanización no siempre es posible o no goza del favor de los hablantes.

También el plural clubes está ganando la batalla del buen uso en Puerto Rico, no sé si por la acción de la Escuela o de los periódicos.

Pero no debemos hacer grandes extremos por la irregularidad de algunos plurales. Maravedí tiene tres plurales: maravedís, maravedíes y maravedises. Alelí tiene dos: alelís o alelíes.

Aunque los idiomas se enriquecen a veces con atroces incorrecciones, tengo por verdadera sentencia, a pesar de su burlona ironía, que es bueno el uso cuando el uso es bueno. Acierta el pueblo también cuando dice que al mal uso quebrarle las piernas, y es cierto que en gramática y en la política las malas costumbres son madres de las buenas leyes. Y hasta se ha dicho que los puristas persiguen las malas costumbres en nombre de las malas costumbres consagradas. No podemos descartar de un todo, pues, el mal uso, siempre que persista con el consentimiento tácito de los hablantes.

No me mueven razones mojigatas ni intenciones puristas. Ya tengo dicho en otro lugar que la elegancia y la pureza del idioma no se obtienen con el mezquino regateo de neologismos necesarios ni con el aislamiento preventivo. Las lenguas no rechazan por pudibundez o exagerado recato los amorosos requiebros de los viriles galanes que han de dejarlas encinta de hijos hermosos y vigorosos.

Pues aprovechando lo nuevo útil pueden conformarse con las novedades de la ciencia y de las artes y andar así con el tiempo.

Es ilícito hasta cambiar la función gramatical de las partes de la oración como recurso literario. Ejemplo: "Un clérigo cerbatana" (Quevedo). Obstaculizar con melindres la natural transformación de las lenguas es como ponerle puertas al campo.

Con todo, conviene que haya de parte de las Academias y de la Escuela, gran vigilancia y cuidado. Es regla de prudencia no aceptar sin ton ni son las novelerías gramaticales y mucho menos las gramatiquerías. Hay que darle tiempo al tiempo. Quiero decir que debemos atenernos al juicio y decisión del buen uso, árbitro, juez y norma. *Ius et norma loquendi*, decía Horacio.

El extranjerismo club se usaba desde el siglo XVIII, mucho antes de su incorporación oficial. Natural cosa es que conservara el plural del idioma que lo parió, pero una vez asimilado e incorporado, aunque no necesitó retoques castellanos, debe hacerse a los usos gramaticales de la lengua española.

NOMBRES NUEVOS PARA PROFESIONES VIEJAS

NOMBRES NUEVOS PARA PROFESIONES VIEJAS

"EUFEMISMO —dice la Academia— es modo de decir para expresar con suavidad o decoro ideas cuya recta y franca expresión sería dura o malsonante." Piadosa mentira, agradable disfraz, género ingenioso de celestinear.

Bien viene aquí que la Academia le dio carta de naturaleza a un discreto sobre decoroso eufemismo. La voz baño sólo nombraba la pila que sirve para bañar o bañarse. Ahora vale también cuarto de baño, servicio.

Es cosa bien sabida que todo el mundo va al baño varias veces al día y sólo se baña una vez, si se baña.

El arte del piadoso eufemismo acuñó también nombre científico para el viejo oficio de dar gato por liebre. También la ciencia es alcahueta. La voz "partenoplasia", del griego "parthenos" (virgen) y "plassein" (formar) tiene buen son. Es nombre nuevo para oficio remendón. Es fama que la madre Celestina vivía de este oficio muy limpiamente. Junto con ser alcahueta era muy diestra con un hilo de seda encerado y una aguja delgada. Con tan sencillos utensilios milagreaba. Además, hacía solimán y enrubiaba con lejía.

No pocas veces con el uso se desgastan o pierden prestigio, y otras de bajo suelo con el tiempo se encumbran. En el idioma también abájanse los adarves y álzanse los muladares.

Dice un médico colombiano en el "Boletín de la Academia Colombiana" que "... partero y comadrón tienen sentido peyorativo que obliga a los hablantes a buscar sustitutos eufemísticos o que tengan un valor expresivo socialmente mejor aceptado".

Y para complacer a los especialistas de la distinguida partería doctorada la Academia Colombiana recomienda que se sustantive el adjetivo obstétrico y se diga: "un eminente obstétrico", "una hábil obstétrica".

Con todo, la nueva profesión de tan antiguo origen tenía ya nombre científico, prestigiado por rancias raíces helénicas: tocólogo.

En Puerto Rico se usan también los términos tocoginecólogo, enfermera obstétrica y obstetra, que la Academia recibió en 1973.

Es de notarse que en las zonas rurales de Puerto Rico todavía abundan las comadronas, a pesar de que el Gobierno ofrece servicios gratuitos de tocoginecólogos en sus clínicas y hospitales.

La voz tocólogo, a pesar de su honorable origen, es fuente picante de chilindrinas y vulgares cachondeos, por su semejanza fonética con el verbo tocar.

Tengo un amigo tocólogo que se da a todos los diablos cada vez que lo llaman comadrón, a pesar de que por comadrón come miel sobre hojuelas y pan a manteles.

"¿Piensa usted —me dijo endemoniado— que un discípulo de Esculapio, después de tantos estudios y sacrificios, va a permitirse que lo llamen comadrón así sin más ni más? No se me oculta que comadrón viene de comadre, que comadrero es el tío holgazán que anda buscando conversación por las casas y que comadrear es chismear, especialmente entre mujeres."

Le dije que la voz comadre, que también nombraba a la alcahueta, tiene acepciones respetables. "Llámanse así —dice la Real Academia Española— recíprocamente la mujer que ha sacado de pila una criatura y la madre de ésta: y por extensión, el padre y el padrino del bautizado dan también el nombre de comadre a la madrina." "Pero si no le gusta la palabra comadrón, porque tiene origen callejero, nuestro idioma, que es muy rico, le ofrece la voz partero, de buena índole."

"Es peor que el parto de los montes —respondió—. No me

fío de la palabra parto desde que ustedes los periodistas llaman
parto a los partos enrevesados de la literatura. Además, las
damas ya no paren, dan a luz, alumbran; y el parto se llama
ahora alumbramiento. 'La hija de don Simplicio tuvo un alumbramiento feliz'. ¿Acaso no lee usted las untuosas y pegajosas
y almibaradas crónicas de sociedad?"

Lo paré en seco con buenas razones.

"Como dicen los que maltratan nuestro rico idioma con
anglicismos de acepción, su lloriqueo es 'académico'. Al alcance de la mano están las voces 'obstétrico' que recomiendan los
colombianos, y las voces tocólogo y obstetra, que ya tienen
sanción académica."

El tocólogo se calmó y dijo con apacible voz: "Antigua-
mente, señor, la voz alumbrar sólo se usaba respecto a Dios,
que es, como dice el Diccionario de autoridades, quien única-
mente puede hacer este beneficio; y así comúnmente se saluda
a la preñada diciéndola 'Dios la alumbre con bien'."

El tocólogo, satisfecho de su erudición, encendió un cigarrillo, que es lo que hacen todos los personajes novelescos
cuando están satisfechos. Y luego volvió a la carga: "Pero sea
de todo esto lo que fuere, lo cierto es que todavía me llaman
comadrón. El cirujano que asiste a los partos se llama en latín
obstetricator, y la mujer que tiene el mismo oficio (la coma-
drona) obstetrix. Partear se dice obstetricare. La parteada se
llama obstetricata. Y de ahí vienen las voces ostetra y obstétrico."

"Pero ¿quién le cuelga el cascabel al gato? Quiero decir:
¿quién les enseña latín a las parturientas? Además, si llama
usted obstetricata a una parteada de nuestros días se declara
en huelga sentada."

Creyendo que me burlaba de su latín escolar, el tocólogo
me miró con cara de pocos amigos.

Para distraer su malhumor hice pregunta que no venía al
caso:

"¿Y la voz ginecólogo?"

"Está bien cuando se aplica bien —contestó—. La gineco-
logía es la parte de la Medicina que trata de las enfermedades

especiales de la mujer. Todos los tocólogos somos ginecólogos, pero no todos los ginecólogos son parteros."

El gran Perogrullo, amigo de las verdades notoriamente sabidas, que ganó justa fama como autor de la célebre frase: "Los niños de hoy serán los hombres del mañana", tan citada que ya huele a puchero de enfermo, echó un hilo de tela con perogrullesca sabiduría:

"El obstétrico, tocólogo, obstetra, comadrón, partero, que todo es uno y lo mismo, lo que hace es ayudar a la naturaleza si viene el parto derecho. Si no viene el parto derecho lo que cuenta es la ciencia, la técnica, la pericia del especialista y, desde luego, la colaboración de la parturienta. El nombre no hace al caso."

ARCAISMOS, DECIMAS Y ROMANCES
DEL JIBARO

ARCAISMOS, DECIMAS Y ROMANCES DEL JIBARO

Mucho promete este artículo, mucho más se dará. Tenemos a la vista el folleto "Para un Palacio, un Caribe", publicado originalmente en Ponce (1891) y reeditado en San Juan (1929), para que se perdieran "las gallardas y fáciles como varoniles, vehementes y cáusticas redondillas de 'El Caribe' " (José Gualberto Padilla) (1829-1846), ni las estrofas de Manuel del Palacio (1831-1906), quien las escribió con palabras que parecen reírse de su propia picardía muy asistida de ingenio, en "Un liberal pasado por agua", Madrid.

Bien viene aquí que Manuel del Palacio fue desterrado a Puerto Rico (1867) por un soneto lanzado (mil hojas) en noche de gala desde un palco del teatro Real, poética cascabelada.

Andando el tiempo, Manuel del Palacio volvió a las andadas, pero esta vez contra Leopoldo Alas "Clarín", a quien puso como chupa de dómine en " 'Clarín' entre dos platos", 1889. De más está decir que "Clarín" dejó a Palacios hecho una lástima.

Ya olvidadas las chilindrinas con son, sólo quedan de la furiosa polémica burlonas palabras de "Clarín": "En España hay dos poetas y medio: Campoamor, Núñez de Arce y Manuel del Palacio."

No se ha olvidado en Puerto Rico la intervención del estudiante de derecho José de Diego (1867-1919), natural de Aguadilla, pueblo de Puerto Rico "donde las piedras cantan".

De Diego no aprovechó la calva ocasión; no se unió al enemigo de su enemigo y defendió a Palacio brillantemente, cosa que es para admirar.

Debe decirse aquí que De Diego, quien ya tenía el don de la gracia poética, era a la sazón amigo de José F. de la Reguera y colaborador del "Madrid Cómico", de donde, según dicen, salieron las primeras ráfagas del modernismo.

Manuel del Palacio llegó a Puerto Rico con un humor de mil diablos, y aquí, a pesar de que fue recibido con palio, empieza la historia de sus quebrantos, según dice en malhumorados versos:

"Todo el año se disfruta / de las delicias del campo, / pero hay arañas que matan, / mosquitos que dan sablazos, / niguas que entre cuero y carne / se alojan de vez en cuando, / y cangrejos que en mordiendo / son como los moderados, / que antes de soltar la presa / se dejan hacer pedazos."

A esto y otras cosas más de la misma catadura contestó "El Caribe", que era médico, poeta, político y patriota en una sola pieza, todo encendido en fervoroso patriotismo:

"Admíraste si no llueve, / si llueve te admiras más, / y te espantas además / si el hemisferio se mueve. / ¡Ya se ve cómo en tu tierra / no sucede nada de eso! / Como no hay allí criatura / que se juegue la camisa, / ni dolencias que de prisa / lleven a la sepultura; / ni hay tramontanas ni truena, / ni el agua moja y salpica, / ni la tarántula pica, / ni la víbora envenena."

Es de notarse que Manuel del Palacio no le guardó rencor a los puertorriqueños. Nada menos que en su discurso de incorporación a la Real Academia Española (1892) dice Palacio:

"En nuestra lengua castellana basta y aún sobra muchas veces un poco de oído para que el jaque andaluz como el jíbaro puertorriqueño y como el payador de las Repúblicas del Plata, produzcan versos que son siempre fáciles y sonoros porque arrancan de la inspiración, hija de la fantasía, y tienen molde adecuado en el idioma."

Don Angel Rosemblat menciona esta notable habilidad del jíbaro en su libro "La primera visión de América y otros estudios", que gentilmente regaló el Ministerio de Educación de

Venezuela a los académicos que asistimos al VI Congreso de Academias de la Lengua. Dice Rosemblat: "... El campo sigue cantando la copla y el romance de la Edad Media española... en las canciones cholas de Bolivia, en las poesías guasas de Chile, en las coplas llaneras y corridos de Venezuela y de Colombia, en las canciones del jíbaro puertorriqueño."

Lo que confirma don José M. Salaverría: "Yo he asistido en Guipúzcoa a los torneos de los versolarios pujando por sobrepujarse en agudeza... Esto mismo con igual carácter e idénticas manifestaciones lo hallé en la isla de Puerto Rico, donde los jíbaros y negros acostumbran a contender en la pulpería en un monótono recitar de versos que allí llaman décimas."

Bien viene aquí que el jíbaro puertorriqueño, tan empapado del recuerdo de sus antepasados españoles, sigue cantando romances carolingios y décimas "a lo divino" y "a lo humano".

Son numerosos los arcaísmos en el habla del jíbaro: truje, mesmo, lamber, lambido, arrecordar, arrempujar, diba, dir, enantes, endenantes, dambos (ambos), desinquieto (Andalucía), asina, esmayado, manque (aunque), alabancia, comparanza, mentar, nacencia, peje, jalda.

Algunas personas cultas tienen por puertorriqueños los siguientes arcaísmos: emborujar (González Jiménez de Quesada. El Antijovio), dengún (Fuero Juzgo), cuantimás (Santa Teresa), etcétera, y algunos cambios fonéticos del léxico jíbaro.

Según Navarro Tomás, "el puertorriqueño pone cierta satisfacción en la idea de que el habla de los jíbaros es la imagen del lenguaje que llevaron los primeros españoles que se aposentaron en la Isla". Y ésta es señal de lo arraigado que tiene el orgullo de su origen español.

Pero el pintoresco y arcaico lenguaje jíbaro cada día sufre más bajas, acaso por el vigororo lenguaje de la capital, que a su vez está también sitiado por los anglicismos que hoy andan sueltos por el mundo.

Muchas vueltas dan los hombres y las cosas con ellos.

Repito que el estudiante José de Diego, con sus buenas razones y muchísima gracia, cerradas las puertas a la tentación de la venganza defendió a Manuel del Palacio, el poeta que había denigrado a su tierra.

Y con no poco ingenio se burla del plagiado mote:

"Os llama, con plagiada denosura, / medio poeta... presumiendo el zote / que os iba a dividir su mordedura. / No deja de tener su gracia el mote. / Como que ya lo aplicó a sí mismo / el creador sublime del Quijote."

En la nota (4) de su libro "Jovillos", De Diego advierte que las "durezas empleadas en los versos contra el sabio crítico 'Clarín' sólo tiene el valor de la sátira jovial y ligera de un muchacho en sus primeros alardes combativos".

Y dice sobre la controversia Palacio-"El Caribe": "... un gran poeta de mi patria, José G. Padilla 'El Caribe', replicó al madrileño tan alta y valerosamente, con tanta dignidad y tanto ingenio, en larga y reñida controversia, que el país nuestro quedó reivindicado y el poeta agresor vencido.

"Así lo reconocía Manuel del Palacio en la carta congratulatoria que me escribiera, al mediar yo en su pelea con el crítico asturiano: 'Nunca fue mi propósito ofender a su país —decía—; conservo un amorosísimo recuerdo de aquellas gentes y un cierto pesar de haber suscitado el triunfo del poeta que me batió en aquellos tiempos'."

Nobleza obliga.

CUATRO VOCES PINTORESCAS
DE PUERTO RICO

CUATRO VOCES PINTORESCAS DE PUERTO RICO

La voz cucubano figura en el Diccionario de la Academia a propuesta del autor de este artículo y de la Academia Puertorriqueña de la Lengua Española. (V. "Puertorriqueñismos y americanismos que faltan en el Diccionario de la Real Academia".)

El nombre cucubano se da a uno de los insectos coleópteros que los caribes llamaban cocuyos.

Fray Iñigo Abbad y Lasierra habla de esta luciérnaga en su "Historia geográfica, civil y natural de la isla de San Juan Bautista de Puerto Rico". Y la menciona por su nombre nativo:

"De estas lucernas se valen para alumbrarse en las noches oscuras para marchar por los caminos o hacer cualquiera diligencia que les ocurre. Atan un cucubano o cocuyo en el dedo pulgar del dedo pulgar del pie y les sirve de antorcha, para no perder la senda y hallar lo que buscan... Algunos forman collares de ellos y los llevan para alumbrarse; las mujeres suelen clavarlos con alfileres en el pecho y resaltan graciosamente. Otros forman con cintillos para sombreros y lucen más que las pedrerías y brillantes que usan las señoras de Europa. También suelen deshacer a estos animales y con su humor teñirse la cara, manos, birretinas y otras cosas, las cuales quedan resplandecientes por algún tiempo, pero en secándose aquel humor se va apagando el resplandor".

El lucífero cucubano alumbra con fría y hermosa luz biológica que antes se usaba, según dicen, atravesados los coleópteros con alfileres para adornar broches deslumbrantes.

Puerto Rico tiene planta de mírame y no me toques, que el vulgo llamaba vergonzosa, sensitiva y púdica con sobrada razón. Esta planta tímida tiene elocuente nombre científico: Mimosa púdica, y expresivo nombre popular: "Moriví", que no es sólo una palabra, sino la planta misma.

Cuando la tocan se marchita, parece que muere, pero pasado el peligro revive. Como los humanos, también pasa por ese estado parecido a la muerte que es el sueño. Duerme de noche.

El "Moriví", planta durmiente, sensitiva o púdica o vergonzosa, que todo es lo mismo, no se levanta mucho del suelo. Su muerte mimética es lenta; la alarma pasa de folielo, como un perro que trata de morderse la cola. Pero no busca la muerte para morir, sino para vivir.

Un jíbaro diría que el "Moriviví" se hace la mosquita muerta, que es lo que el jíbaro se hace cuando trata con extraños, pero en vez de espinas tiene marrullería. Y vaya uno por lo otro.

El "Moriviví" también revive lentamente, perezosamente; como quien no quiere la cosa, quizá para relamer su astucia. Podría llamarse perezosa, pero mejor nombre es moriviví, palabra irónica y llena de malicia.

La voz guajana que, como dice Navarro Tomás, figura entre los escasos vocablos indígenas que se señalan como populares en Puerto Rico, fue admitida por la Academia a propuesta de la Academia Puertorriqueña. (V. Ponencia ya citada.)

La "Guajana", flor de la caña de azúcar, surge de entre los verdes sables de las anchas hojas ondulantes como penacho triunfal.

Augusto Malaret, a quien siempre hay que citar, describe así la "Guajana": "(Voz indígena) f. P. Rico. La varilla de la caña de azúcar; con su penacho, que utilizan los chicos para hacer o figurar caballitos de palo, que adornan con cintas y flores; la varilla sirve también para hacer jaulas y volantines".

Charles F. Kany ("Semántica hispanoamericana") tiene definición con gracia: "Caña de azúcar con sus barbas".

El poeta romántico de Puerto Rico José Gautier Benítez (1848-1880) compara la "Guajana" con la espuma de la miel:

Tienes... la caña en la feraz sabana
lago de miel que con la brisa ondea
mientras la espuma, en la gentil guajana,
como blanco plumón se balancea.

Es de suponerse que el substantivo "Guajana", que parece indígena, se aplicaba a la espiga florida de alguna caña silvestre, pues la caña de azúcar no crecía en las islas descubiertas por Colón.

En Puerto Rico llaman guajanal al cañaveral en flor.

Cuatro palabras ofrecí. Me queda por nombrar y describir la voz "Aguaviva", nombre que se le da a la medusa en Puerto Rico, tan expresivo que parece llevar su propio significado a cuestas.

La "Aguaviva" tiene en Puerto Rico acuático paraíso, que es el Jardín de Neptuno (así se llama en realidad), prodigiosa obra de Dios a pocos minutos de San Juan, en la rada que forman la Punta de las Marías y la Punta de Cangrejos.

Hace algunos años contemplé maravillado mil maravillas a través del fondo de cristal de la lancha "Nautilus":

Peces de oro y peces de plata, peces con rayas negras o amarillas; unos, aplastados; otros, barrigones, como banqueros satisfechos, y algunos que a pesar de ser gordos no eran muy pacíficos; todos inquietos (desinquietos dirían en el campo de Puerto Rico y en Andalucía), rápidos, sólo aguijoneados por la ciencia infusa del instinto, que se movían de aquí para allá en busca de la presa para el continuo yantar, que casi siempre era el pez más pequeño. Algunos parecían tontos, pero eran muy salados.

Arriba pasaba graciosamente la vela viva de la "Aguaviva"... No; no había muerto todavía la hermana mortal de las Gorgonas. Navegaba plácidamente, inflada la vela gelatinosa, la cabellera de serpiente bajo el agua. Neptuno, transformado en pájaro buchipluma, la seguía con el mismo ardor que profanó el templo de Minerva.

Entonces di con el bosque colonial de los pólipos, obra maestra del color, que se veía a través del cristal de la lancha como una acuarela del mar. Las duras formas arborescentes eran rojas, negras, rosadas. Las madréporas abrían aristocráticos abanicos de finas plumas porosas.

Medusa flotaba, la terrible cabellera suelta, con gran lujo de colores. Era aguamar, aguaverde, aguazul, aguamala, aguavioleta.

Bien viene aquí que la "Aguaviva" se desinfla en tierra firme. Bajo el ardiente sol tropical se vacía. Sólo queda de su antiguo esplendor materia gelatinosa derramada. Gran lección para inflados de vanidad.

La "Aguaviva", aguardiente del mar, campana viva, especie de medusa, adorna su paralizante cuerpo con brillantes colores. No brillaban con tanto esplendor los bocales (ojos de boticario) de la farmacia de M. Homais cuando el reverbero estaba encendido.

Hay derramada sobre el Jardín de Neptuno —cielo de agua, estrellas en la arena— una santa paz, sólo turbada a veces, por la urticante cabellera de la "Aguaviva".

¡QUE VIVAN LOS BARBARISMOS!

¡QUE VIVAN LOS BARBARISMOS!

Ya tengo dicho en otro sitio que el español de Puerto Rico siempre está en tela de juicio por razones harto conocidas. Lo juzgan con excelente juicio Navarro Tomás, Gili Gaya, etcétera; lo maltratan hablistanes que después de un viaje turístico de fin de semana dicen a puñadas verdades de a puño, todavía ofendidos porque no los recibieron con palio o enfurecidos puerilmente por el mal humor de la camarera del hotel o por los anglicismos de un locutor de poco más o menos. Quiero decir que unas veces por pitos y otras por flautas, dicen el sueño y la soltura. Hablan de la feria como les fue en ella.

Algunos afirman con olímpico desdén que el español de Puerto Rico, asediado por numerosos barbarismos, se aparta cada vez más del español hispanoamericano. Lo cierto es que los barbarismos, casi todos anglicismos, *permean* hoy todas las lenguas.

De pronto siento la comezón de gritar a todos los vientos: ¡Que vivan los barbarismos! Y después de barbarizar con disimulo de cursivas, río la travesura.

Y digo ahora en serio, aunque todavía se me asoma la socarronería, lo que verá el que esto leyere. Un idioma inmaculadamente puro que rechaza las innovaciones que le va entregando el pueblo, que no tiene manera alguna de comercio con las demás lenguas y vive completamente aislado y celoso de su rancia doncellez, ¡váyase al diablo!, porque está ya para el arrastre y a punto de que le canten con toda solemnidad un piadoso réquiem.

"En la época en que vivimos —dice Charles Bally— cada idioma participa de la vida de los otros". Y según Unamuno: "... el barbarismo produce de pronto una fiebre como la vacuna, pero evita la viruela".

Surge allí controversia nunca acabada. ¿Debemos rechazar los extranjerismos necesarios? (Recibir los innecesarios sería necesidad.) El español le debe al invasor árabe más de cuatro mil palabras, y el inglés, que no se para en pelillos, pesca en los ríos de todos los idiomas, revueltos o no. Bien dicen en mi pueblo que el que en pelos repara nunca come chicharrones.

Para Saussure, "... la lengua es traje cubierto de muchos remiendos hechos con el propio paño". Y con paños ajenos también. Todos, pues, somos remendones, hábiles unos, torpes otros. Pero el pueblo nos da sabio consejo: "Más vale feo remiendo que bonito agujero".

Que cargue con la culpa la fea necesidad. La necesidad es, con frecuencia, mala consejera y madre de malas palabras.

No es mi intención defender lo que no necesita defensa. Sólo quiero poner puntos sobre las íes. Que pongan puntos sobre las haches los melosos galanteadores del idioma. Los cuales a veces no tienen el honor de conocer a la dama de sus pensamientos. Pero con gran lujo de alabanzas la ponen de mírame y no me toques. Con todo, con ser una gloria, la dama no es ni casta ni pura, porque está viva. Que las gracias sean dadas a Dios.

Nosotros, como los demás pueblos hispanos, acomodamos la palabra a la vida, que es lo que recomendaba Azorín. Pero este idioma nuestro, que le da color a los pensamientos, está influido por leyes del espíritu humano que no podemos modificar.

El español de Puerto Rico no es ni tan malo ni tan bueno como lo pintan. Es, al fin de cuentas, el español que se habla en Hispanoamérica con todos sus defectos, peculiaridades y virtudes.

Pero con frecuencia son tan exagerados los elogios que no se le echa de ver si tiene defectos, y las diatribas tan ajenas de verdad que no se le echa de ver si tiene virtudes.

"Vestigios antiguos y significativos del léxico y de la pronunciación —dice Navarro Tomás— dan lugar considerablemente en el cuadro del conjunto del habla de la isla a elementos procedentes de las provincias occidentales de España".

Lo que está de acuerdo con opinión del director de la Real Academia Española, don Dámaso Alonso: "El español de Puerto Rico es el que más cerca está de sus orígenes.

Bien viene aquí, como dicen los italianos que la *lingua del cuore nunca cedió a la lingua del pane*.

Y es de notarse que, según Angel Rosemblat, "en Puerto Rico es quizá donde tiene más bríos la tradición española".

En sus "apuntes sobre el español de Madrid", año 1965, el distinguido filólogo colombiano don Luis Flórez ofrece "en forma comparada una serie de usos: en una primera columna, usos de Madrid, y al frente, en otra, los correspondientes al habla de Bogotá. Con no poco atrevimiento le puse a la tabla del filólogo colombiano una tercera columna. En la cual se verá, como dice Navarro Tomás, que "no se diferencia tanto el habla de Puerto Rico con el de Madrid, como creen muchos puertorriqueños".

MADRID	BOGOTA	SAN JUAN
ladera	falda, pendiente	ladera, falda, pendiente, jalda
excusado, servicio, W.C., retrete	sanitario, baño	baño, inodoro, servicio, sanitario
constipado	catarro, gripa	catarro, gripe
me va (un alimento)	me gusta, me sienta bien	me cae bien
tirando, tirandillo	tirando	ahí tirando
calcetines	medias para hombres	calcetines, medias
alquitrán, brea	asfalto, neme	brea, alquitrán, asfalto
aparcar	parquear	parquear, estacionar, aparcar (todavía tímidamente)
peluquería de señoras	salón de belleza	salón de belleza
café con leche, largo	café con leche	café con leche, blanco
café solo, corto	tinto	tinto, negro, prieto
café con leche, corto	perico	café con leche, término
zumo de naranja	jugo	jugo de china
judías	frijoles	habichuelas
judías verdes	habichuelas	habichuelas tiernas
cierre despacio (en taxi)	cierre con cuidado (En México: favor de no azotar la puerta)	cierre con cuidado
el despegue (de un avión)	el decolaje	el despegue
pantano	represa	represa
óptico	optómetra	optómetra
derribo	demolición	demolición
pastel	bizcocho	bizcocho
fiambrera	portacomidas	fiambrera
parrilla	grill	parrilla
cubo de la basura	caneca	zafacón
multicopista	mimeógrafo	mimeógrafo
fontanero	plomero	plomero
bañera	tina	baño
estar para el arrastre	mal de salud	mal de salud, jalao, hecho leña